*memória de minhas putas tristes*

**Obras do autor**

*O amor nos tempos do cólera*
*A aventura de Miguel Littín clandestino no Chile*
*Cem anos de solidão*
*Cheiro de goiaba*
*Crônica de uma morte anunciada*
*Do amor e outros demônios*
*Doze contos peregrinos*
*Em agosto nos vemos*
*Os funerais da Mamãe Grande*
*O general em seu labirinto*
*A incrível e triste história da cândida Erêndira e sua avó desalmada*
*Memória de minhas putas tristes*
*Ninguém escreve ao coronel*
*Notícia de um sequestro*
*Olhos de cão azul*
*O outono do patriarca*
*Relato de um náufrago*
*A revoada (O enterro do diabo)*
*O veneno da madrugada (A má hora)*
*Viver para contar*

**Obra jornalística**

*Vol. 1 – Textos caribenhos (1948-1952)*
*Vol. 2 – Textos andinos (1954-1955)*
*Vol. 3 – Da Europa e da América (1955-1960)*
*Vol. 4 – Reportagens políticas (1974-1995)*
*Vol. 5 – Crônicas (1961-1984)*
*O escândalo do século*

**Obra infantojuvenil**

*A luz é como a água*
*María dos Prazeres*
*A sesta da terça-feira*
*Um senhor muito velho com umas asas enormes*
*O verão feliz da senhorita Forbes*
*Maria dos Prazeres e outros contos (com Carme Solé Vendrell)*

**Antologia**

*A caminho de Macondo*

**Teatro**

*Diatribe de amor contra um homem sentado*

**Com Mario Vargas Llosa**

*Duas solidões: um diálogo sobre o romance na América Latina*

GABRIEL GARCÍA MÁRQUEZ

# *memória de minhas putas tristes*

TRADUÇÃO DF
**ERIC NEPOMUCENO**

39ª edição

E D I T O R A R E C O R D
RIO DE JANEIRO • SÃO PAULO

2025

**EDITORA-EXECUTIVA**
Renata Pettengill

**SUBGERENTE EDITORIAL**
Mariana Ferreira

**ASSISTENTE EDITORIAL**
Pedro de Lima

**AUXILIAR EDITORIAL**
Juliana Brandt

**REVISÃO**
Claudia Moreira

**CAPA**
Leonardo Iaccarino

**DIAGRAMAÇÃO**
Beatriz Carvalho

**TÍTULO ORIGINAL**
Memoria de mis putas tristes

---

CIP-Brasil. Catalogação na fonte
Sindicato Nacional dos Editores de Livros, RJ.

G21m
39ª ed.

García Márquez, Gabriel, 1927-2014
Memória de minhas putas tristes / Gabriel García Márquez; tradução de Eric Nepomuceno. – 39ª ed. – Rio de Janeiro: Record, 2025.

Tradução de: Memoria de mis putas tristes
ISBN 978-65-55-87182-1

1. Romance colombiano. I. Nepomuceno, Eric, 1948- . II. Título.

20-67780 CDD – 868.993613
CDU – 82-31(862)

Meri Gleice Rodrigues de Souza - Bibliotecária - CRB-7/6439

---



Texto revisado segundo o Acordo Ortográfico da Língua Portuguesa de 1990.



Direitos exclusivos de publicação em língua portuguesa para o Brasil adquiridos pela
EDITORA RECORD LTDA.
Rua Argentina, 171 – Rio de Janeiro, RJ – 20921-380 – Tel.: (21) 2585-2000
que se reserva a propriedade literária desta tradução.

Impresso no Brasil

ISBN 978-65-55-87182-1

"Não devia fazer nada de mau gosto, advertiu a mulher da pousada ao ancião Eguchi. Não devia colocar o dedo na boca da mulher adormecida nem tentar nada parecido."

Yasunari Kawabata,
*A casa das belas adormecidas*

# 1

No ano de meus noventa anos quis me dar de presente uma noite de amor louco com uma adolescente virgem. Lembrei de Rosa Cabarcas, a dona de uma casa clandestina que costumava avisar aos seus bons clientes quando tinha alguma novidade disponível. Nunca sucumbi a essa nem a nenhuma de suas muitas tentações obscenas, mas ela não acreditava na pureza de meus princípios. Também a moral é uma questão de tempo, dizia com um sorriso maligno, você vai ver. Era um pouco mais nova que eu, e não sabia dela fazia tantos anos que podia muito bem estar morta. Mas no primeiro toque reconheci a voz no telefone e disparei sem preâmbulos:

— É hoje.

Ela suspirou: Ai, meu sábio triste, você desaparece vinte anos e volta só para pedir o impossível. Recobrou em seguida o domínio de sua arte e me ofereceu meia dúzia de opções deleitáveis, mas com um senão: eram todas usadas. Insisti que não, que tinha de ser donzela e para aquela noite. Ela perguntou alarmada: Mas o que é que você está querendo provar a si mesmo? Nada, respondi, machucado onde mais doía, sei muito bem o que posso e o que não posso. Ela disse impassível que os sábios sabem de tudo, mas não tudo: Virgens sobrando neste mundo só os do seu signo, dos nascidos em agosto. Por que não encomendou com mais tempo? A inspiração não avisa, respondi. Mas talvez espere, disse ela, sempre mais sabichona que qualquer homem, e me pediu nem que fossem dois dias para revirar o mercado a fundo. Eu repliquei a sério que numa questão dessas, e na minha idade, cada hora é um ano. Então não tem jeito, disse ela sem o menor fiapo de dúvida, mas não importa, assim é mais emocionante, merda, deixa que eu telefono em uma hora.

Não preciso nem dizer, porque dá para reparar a léguas: sou feio, tímido e anacrônico. Mas à força de não querer ser assim consegui simular exatamente o contrário. Até o sol de hoje, em que resolvo contar como sou por minha livre e espontânea vontade, nem que seja só para alívio da minha consciência. Comecei com o telefonema insólito a Rosa Cabarcas, porque, visto de hoje, aquele foi o início de uma nova vida, e numa idade em que a maioria dos mortais está morta.

Vivo numa casa colonial na calçada de sol do parque de San Nicolás, onde passei todos os dias da minha vida sem mulher nem fortuna, onde viveram e morreram meus pais, e onde me propus morrer só, na mesma cama em que nasci e num dia que desejo longínquo e sem dor. Meu pai comprou a casa num leilão público no final do século XIX, alugou o andar de baixo para lojas de luxo de um consórcio de italianos e reservou-se este segundo andar para ser feliz com a filha de um deles, Florina de Dios Cargamantos, intérprete notável de Mozart, poliglota e garibaldina, e a mulher mais formosa e de melhor talento que jamais houve na cidade: minha mãe.

O espaço da casa é amplo e luminoso, com arcos de estuque e pisos axadrezados de mosaicos florentinos, e quatro portas envidraçadas sobre uma sacada corrida onde minha mãe sentava-se nas noites de março para cantar árias de amor com suas primas italianas. Dali se vê o parque de San Nicolás com a catedral e a estátua de Cristóvão Colombo, e mais além os armazéns do cais fluvial e o vasto horizonte do rio grande da Magdalena a vinte léguas de seu estuário. A única coisa ingrata na casa é que o sol vai mudando de janelas no transcurso do dia, e é preciso fechar todas elas para tratar de dormir a sesta na penumbra ardente. Quando fiquei sozinho, aos meus trinta e dois anos, mudei-me para a que tinha sido a alcova de meus pais, abri uma porta de passagem para a biblioteca e para viver comecei a vender o que estava sobrando, e que terminou sendo quase tudo, exceto os livros e a pianola de rolos.

Durante quarenta anos fui o domador de telegramas do *El Diario de La Paz*, tarefa que consistia em reconstruir e completar em prosa indígena as notícias do mundo, que agarrávamos em pleno voo pelo espaço sideral através das ondas curtas ou do código Morse. Hoje me sustento, mal ou bem, com minha aposentadoria daquele ofício extinto; me sustento menos com a de professor de gramática castelhana e latim, quase nada com a crônica dominical que escrevi sem esmorecimento durante mais de meio século, e nada em absoluto com as resenhas de música e teatro que me publicam de favor nas muitas vezes em que intérpretes notáveis passam por aqui. Nunca fiz nada diferente de escrever, mas não tenho vocação nem virtude de narrador, ignoro por completo as leis da composição dramática, e se embarquei nessa missão é porque confio na luz do muito que li pela vida afora. Dito às claras e às secas, sou da raça sem méritos nem brilho, que não teria nada a legar aos seus sobreviventes se não fossem os fatos que me proponho a narrar do jeito que conseguir nesta memória do meu grande amor.

No dia de meus noventa anos havia recordado, como sempre, às cinco da manhã. Por ser sexta-feira, meu compromisso único era escrever a crônica que é publicada aos domingos no *El Diario de La Paz*. Os sintomas do amanhecer tinham sido perfeitos para não ser feliz: me doíam os ossos desde a madrugada, meu rabo ardia, e havia trovões de tormenta depois de três meses de seca. Tomei banho enquanto passava o café, bebi uma caneca adoçada com mel de abelhas e acompanhada por duas broas de farinha de mandioca, e vesti o macacão de brim de ficar em casa.

O tema da crônica daquele dia, é claro, eram os meus noventa anos. Nunca pensei na idade como se pensa numa goteira no teto que indica a quantidade de vida que vai nos restando. Era muito menino quando ouvi dizer que se uma pessoa morre os piolhos incubados no couro cabeludo escapam apavorados pelos travesseiros, para vergonha da família. Isso me impressionou tanto que tosei o coco para ir à escola, e até hoje lavo os escassos fiapos que me restam com sabão medicinal de cinza e ervas milagrosas. Quer dizer, me digo agora, que desde muito menino tive mais bem formado o sentido do pudor social que o da morte.

Fazia meses que tinha previsto que minha crônica de aniversário não seria o mesmo e martelado lamento pelos anos idos, mas o contrário: uma glorificação da velhice. Comecei por me perguntar quando tomei consciência de ser velho, e acho que foi pouco antes daquele dia. Aos quarenta e dois anos havia acudido ao médico por causa de uma dor nas costas que me estorvava para respirar. Ele não deu importância: É uma dor natural na sua idade, falou.

— Então — eu disse —, o que não é natural é a minha idade.

O médico me deu um sorriso de lástima. Vejo que o senhor é um filósofo, disse ele. Foi a primeira vez que pensei na minha idade em termos de velhice, mas não tardei a esquecer o assunto. E me acostumei a despertar cada dia com uma dor diferente que ia mudando de lugar e forma, à medida que passavam os anos. Às vezes parecia ser uma garrotada da morte e no dia seguinte se esfumava. Nessa época ouvi dizer que o primeiro sintoma da velhice é quando a gente começa a se parecer com o próprio pai. Devo estar condenado à juventude eterna, pensei então, porque meu perfil equino não se parecerá jamais ao caribenho cru que era meu pai, nem ao romano imperial de minha mãe. A verdade é que as primeiras mudanças são tão lentas que mal se notam, e a gente continua se vendo por dentro como sempre foi, mas de fora os outros reparam.

Na quinta década havia começado a imaginar o que era a velhice quando notei os primeiros ocos da memória. Revirava a casa buscando meus óculos até descobrir que os estava usando, ou entrava com eles no chuveiro, ou punha os de leitura sem tirar os de ver de longe. Um dia tomei duas vezes o café da manhã porque me esqueci da primeira, e aprendi a reconhecer o alarme de meus amigos quando não se atreviam a me lembrar que estava contando a mesma história que havia contado na semana anterior. Naquele tempo tinha na memória uma lista de rostos conhecidos e outra com os nomes de cada um, mas no momento de cumprimentar não conseguia que as caras coincidissem com os nomes.

Minha idade sexual não me preocupou nunca, porque meus poderes não dependiam tanto de mim como delas, e quando querem elas sabem o como e o porquê. Hoje em dia dou risada dos rapazes de oitenta que consultam o médico assustados por causa desses sobressaltos, sem saber que nos noventa são piores, mas já não importam: são os riscos de estar vivo. Em compensação, é um triunfo da vida que a memória dos velhos se perca para as coisas que não são essenciais, embora raras vezes falhe para as que de verdade nos interessam. Cícero ilustrou isso de uma penada: *Não há ancião que esqueça onde escondeu seu tesouro.*

Com essas reflexões, e tantas outras, havia terminado o primeiro rascunho da crônica quando o sol de agosto explodiu entre as amendoeiras do parque e o barco fluvial do correio, atrasado uma semana por causa da seca, entrou bramando pelo canal do porto. Pensei: Aí estão chegando os meus noventa anos. Jamais saberei por que, nem pretendo, mas foi ao conjuro daquela evocação arrasadora que decidi telefonar para Rosa Cabarcas pedindo ajuda para honrar meu aniversário com uma noite libertina. Fazia anos que estava na santa paz com meu corpo, dedicado à releitura diária dos meus clássicos e a meus programas privados de música culta, mas o desejo daquele dia foi tão urgente que me pareceu um recado de Deus. Depois do telefonema não consegui continuar escrevendo. Pendurei a rede num canto da biblioteca onde o sol não bate pela manhã, e me estendi com o peito oprimido pela ansiedade da espera.

Eu havia sido um menino mimado com uma mãe de dons múltiplos, aniquilada pela tísica aos cinquenta anos, e com um pai formalista de quem jamais se conheceu erro algum, e que amanheceu morto em sua cama de viúvo no dia em que foi assinado o tratado da Neerlândia, que pôs término à guerra dos Mil Dias e a tantas guerras civis do século anterior. A paz mudou a cidade num sentido que não se previu nem se queria. Uma multidão de mulheres livres enriqueceu até o delírio os velhos bares da rua Ancha, que foi depois o calçadão Abello e agora é o passeio Colón, nesta cidade da minha alma tão apreciada pelos próprios e por alheios pela boa índole da sua gente e a pureza de sua luz.

Nunca me deitei com mulher alguma sem pagar, e as poucas que não eram do ofício convenci pela razão ou pela força que recebessem o dinheiro nem que fosse para jogar no lixo. Lá pelos meus vinte anos comecei a fazer um registro com o nome, a idade, o lugar, e um breve recordatório das circunstâncias e do estilo. Até os cinquenta anos eram quinhentas e catorze mulheres com as quais eu havia estado pelo menos uma vez. Interrompi a lista quando o corpo já não dava mais para tantas e podia continuar as contas sem precisar de papel. Tinha minha ética própria. Nunca participei em farras de grupo nem em contubérnios públicos, nem compartilhei segredos nem contei uma só aventura do corpo ou da alma, pois desde jovem me dei conta de que nenhuma é impune.

A única relação estranha foi a que mantive durante anos com a fiel Damiana. Era quase uma menina, mais para forte e xucra, de palavras breves e terminantes, que se movia descalça para não me estorvar enquanto eu escrevia. Recordo que eu estava lendo *La lozana andaluza* na rede do corredor, e a vi por acaso inclinada no tanque com uma saia tão curta que deixava a descoberto suas coxas suculentas. Presa de uma febre irresistível levantei-a por trás, baixei suas prendas até os joelhos e avancei pelos fundos. Ai, senhor, disse ela, com um queixume lúgubre, isso não foi feito para entrar, mas para sair. Um tremor profundo percorreu seu corpo, mas se manteve firme. Humilhado por tê-la humilhado quis pagar a ela o dobro do que custavam as mais caras daquele tempo, mas não aceitou nem um tostão, e tive que aumentar seu salário com o cálculo de uma montada por mês, sempre enquanto lavava roupa e sempre pela retaguarda.

Algumas vezes pensei que aquelas contas de camas seriam uma boa base para uma lista das misérias da minha vida extraviada, e o título me caiu do céu: *Memória de minhas putas tristes.* Minha vida pública, em compensação, carecia de interesse: órfão de pai e mãe, solteiro sem porvir, jornalista medíocre quatro vezes finalista nos Jogos Florais de Cartagena de Índias e favorito dos caricaturistas por causa da minha feiura exemplar. Quer dizer: uma vida perdida que havia começado mal desde a tarde em que minha mãe me levou pela mão aos dezenove anos para ver se conseguia publicar no *El Diario de La Paz* uma reportagem da vida escolar que eu havia escrito na aula de castelhano e retórica. Foi publicada no domingo com um preâmbulo esperançado do diretor. Passados os anos, quando soube que minha mãe tinha pagado por aquela publicação e pelas sete seguintes, já era tarde para me envergonhar, pois minha crônica semanal voava com asas próprias, e além do mais eu era o domador de telegramas e crítico de música.

Desde que consegui meu diploma de bacharel com grau de excelência comecei a dar aulas de castelhano e de latim em três colégios públicos ao mesmo tempo. Fui um mau professor, sem formação, sem vocação nem piedade alguma por aqueles pobres meninos que só iam à escola por ser o jeito mais fácil de escapar da tirania dos pais. A única coisa que pude fazer por eles foi mantê-los debaixo do terror de minha régua de madeira para que pelo menos levassem a lembrança do meu poema favorito: *Estes, Fabio, ó dor, que vês agora, campos de solidão, desolados outeiros, foram noutro tempo a Itálica famosa.* Só depois de velho fiquei sabendo, e por casualidade, do apelido malvado que os alunos me puseram pelas costas: *Professor Desolado Outeiro.*

Isso foi tudo que a vida me deu e não fiz nada para conseguir mais. Almoçava sozinho entre uma aula e outra, e às seis da tarde chegava à redação do jornal para caçar os sinais do espaço sideral. Às onze da noite, quando fechava a edição, começava minha vida real. Dormia no Bairro Chinês duas ou três vezes por semana, e com tão variadas companhias, que em duas ocasiões fui coroado como cliente do ano. Depois do jantar no vizinho café Roma escolhia um bordel qualquer ao acaso e entrava às escondidas pela porta dos fundos. Fazia isso por gosto, mas acabou sendo parte do meu ofício graças à ligeireza de língua dos grandes falastrões da política, que prestavam conta de seus segredos de Estado às amantes de uma noite, sem pensar que eram ouvidos pela opinião pública através dos tabiques de papelão. Foi desse jeito, enfim, que descobri que meu celibato inconsolável era atribuído a uma pederastia noturna que se saciava com meninos órfãos da rua do Crime. Tive a sorte de esquecer esse ponto, entre outras boas razões porque também conheci o que se dizia bem de mim e apreciei isso em sua medida e em seu valor.

Nunca tive grandes amigos, e os poucos que chegaram perto disso estão em Nova York. Quer dizer: mortos, pois é para lá que eu acho que vão as almas penadas para não digerir a verdade de sua vida passada. Desde que me aposentei tenho pouco a fazer, além de levar meus papéis ao jornal nas tardes de sexta-feira, ou então outras tarefas de pequena monta: concertos no Belas-Artes, exposições de pintura no Centro Artístico, do qual sou sócio fundador, uma ou outra conferência cívica na Sociedade de Melhorias Públicas, ou algum acontecimento grande como a temporada da divina Fábregas no Teatro Apolo. Quando jovem ia aos salões de cinema sem teto, onde tanto podíamos ser surpreendidos por um eclipse lunar como por uma pneumonia dupla por causa de algum aguaceiro desnorteado. Mais, porém, que os filmes me interessavam as pássaras da noite que se deitavam pelo preço da entrada ou davam de graça ou fiado. Pois o cinema não faz meu gênero. O culto obsceno de Shirley Temple foi a gota que transbordou o copo.

Minhas únicas viagens foram quatro aos Jogos Florais de Cartagena de Índias, antes dos meus trinta anos, e uma noite ruim na lancha a motor, convidado por Sacramento Montiel para a inauguração de um de seus bordéis em Santa Marta. Quanto à minha vida doméstica, sou de comer pouco e de gostos fáceis. Quando Damiana ficou velha não se tornou a cozinhar em casa, e minha única refeição regular desde então foi a fritada de batatas no café Roma depois do fechamento do jornal.

Assim, na véspera de meus noventa anos fiquei sem almoçar e não pude me concentrar na leitura à espera de notícias de Rosa Cabarcas. As cigarras apitavam até arrebentar no calor das duas da tarde, e as voltas do sol pelas janelas abertas me forçaram a mudar três vezes o lugar da rede. Sempre achei que pelos dias do meu aniversário estava o dia mais quente no ano, e tinha aprendido a suportar isso, mas o humor daquele dia não deu para tanto. Às quatro tentei me apaziguar com as seis suítes para cello solo de Johann Sebastian Bach, na versão definitiva de dom Pablo Casals. Acho que é o que de mais sábio existe em toda a música, mas em vez de me apaziguar como de costume me deixaram num estado da pior prostração. Adormeci com a segunda, que me parece um pouco malemolente, e no sonho misturei o queixume do cello com o de um barco triste que se foi. Quase no mesmo instante o telefone me despertou, e a voz enferrujada de Rosa Cabarcas me devolveu à vida. Você tem uma sorte do demônio, disse ela. Encontrei uma franguinha melhor do que você queria, mas tem um porém: ela tem uns catorze anos. Eu não me importo em trocar fraldas, disse a ela em tom de burla e sem entender seus motivos. Não é por você, disse ela, mas quem vai cumprir por mim os três anos de cadeia?

Ninguém, e ela menos ainda, é claro. Fazia sua colheita entre as menores de idade que se exibiam em seu armazém, e que ela iniciava e espremia até passarem a vida pior, a de putas diplomadas no bordel histórico da Negra Eufemia. Nunca tinha pagado uma única multa, porque seu quintal era a arcádia da autoridade local, do governador até o último bedel da prefeitura, e não era imaginável que à dona daquilo tudo faltassem poderes para delinquir a seu bel-prazer. Assim, seus escrúpulos de última hora só tinham como justificativa poder levar vantagem com seus favores: quanto mais puníveis, mais caros. A questão se arranjou com um aumento de dois pesos na tarifa dos serviços, e combinamos que às dez da noite eu estaria em sua casa com cinco pesos em dinheiro, e adiantados. Nem um minuto antes, pois a menina tinha que dar de comer aos irmãos menores e pôr na cama sua mãe entrevada pelo reumatismo.

Faltavam quatro horas. À medida que passavam, meu coração ia se enchendo de uma espuma ácida que me atrapalhava respirar. Fiz um esforço estéril para pastorear o tempo com os afazeres da roupa. Nada novo, é claro, pois até Damiana diz que eu me visto com o ritual de um bispo. E me cortei com a navalha de fazer a barba, tive que esperar que a água do chuveiro aquecida pelo sol no encanamento refrescasse, e o simples esforço de me secar com a toalha me fez suar de novo. Eu me vesti de acordo com a ventura da noite: o terno de linho branco, a camisa de listas azuis de colarinho acartolinado com goma, a gravata de seda chinesa, as botinas remoçadas com parafina e o relógio de ouro de lei com a corrente abotoada na casa da lapela. No final dobrei para dentro as barras das calças para que ninguém notasse que com a idade eu diminuíra quatro dedos.

Tenho fama de unha de fome porque ninguém consegue imaginar que eu seja pobre do jeito que sou se moro onde moro, e a verdade é que uma noite como aquela estava muito acima dos meus recursos. Do cofre das economias disfarçado debaixo da cama tirei dois pesos para o aluguel do quarto, quatro para a dona, três para a menina e cinco de reserva para meu jantar e outros pequenos gastos. Ou seja, os catorze pesos que o jornal me paga por um mês de crônicas dominicais. Escondi o dinheiro num bolso secreto do cinturão e me perfumei com o borrifador de Água de Florida de Lanman & Kemp-Barclay & Co. Então senti a fisgada do pânico e ao primeiro badalar das oito desci tateando as escadas nas trevas, suando de medo, e saí para a noite radiante da minha celebração.

Havia refrescado. Grupos de homens solitários discutiam futebol aos berros no passeio Colón, entre os táxis parados em fila no meio da rua. Uma banda de metais tocava uma valsa lânguida debaixo da alameda de flamboyants floridos. Uma das putinhas pobres que caçam clientes mais pobres ainda na rua dos Notários me pediu o cigarro de sempre e respondi a mesma coisa de sempre: Hoje está fazendo trinta e três anos, dois meses e dezessete dias que parei de fumar. Ao passar na frente de O Arame de Ouro me olhei nas vitrines iluminadas e não me vi como me sentia, porém mais velho e mais malvestido.

Pouco antes das dez abordei um táxi e pedi ao chofer que me levasse ao Cemitério Universal, de forma que ele não ficasse sabendo aonde na verdade eu estava indo. Ele me olhou divertido pelo espelho, e disse: Não me assuste desse jeito, dom Sábio, oxalá Deus me mantenha vivo assim que nem o senhor. Descemos juntos na frente do cemitério porque ele não tinha dinheiro trocado e tivemos que trocar no

La Tumba, um botequim indigente onde os bebadinhos da madrugada choram seus mortos. Quando acertamos a conta, o motorista me disse a sério: Tome cuidado, senhor, que a casa de Rosa Cabarcas já não é nem sombra do que foi. Não pude fazer outra coisa a não ser agradecer, convencido como todo mundo de que para os choferes do passeio Colón não havia nenhum segredo debaixo do céu.

Fui adentrando um bairro de pobres que não tinha nada a ver com o que conheci nos meus tempos. Eram as mesmas ruas amplas de areias quentes, com casas de portas abertas, paredes de tábuas ásperas, tetos de sapé e pátios de cascalho. Mas sua gente havia perdido o sossego. Na maioria das casas havia as farras de sexta-feira cujos bumbos e pratos repercutiam nas entranhas. Qualquer um podia entrar por cinquenta centavos na festa que mais gostasse, mas também podia pegar carona e entrar às escondidas. Eu caminhava ansioso de que a terra me engolisse dentro da minha fatiota de ver Deus, mas ninguém prestou atenção em mim, a não ser um mulato esquálido que cochilava sentado no portão de uma casa da vizinhança.

— Salve, doutor! — me gritou de coração. — Feliz trepada!

Que mais eu podia fazer a não ser agradecer? Tive que me deter três vezes para recobrar o fôlego antes de alcançar a última ladeira. Dali vi a enorme lua de cobre que se erguia no horizonte, e uma urgência imprevista do ventre me fez temer pelo meu destino, mas passou ao largo. No final da rua, onde o bairro se transformava num bosque de árvores frutíferas, entrei no armazém de Rosa Cabarcas.

Não parecia a mesma. Havia sido a cafetina mais discreta e por isso mesmo a mais conhecida. Uma mulher corpulenta que queríamos coroar sargenta dos bombeiros, tanto pela corpulência como pela eficácia para apagar os candeeiros da paróquia. Mas a solidão tinha diminuído seu corpo, havia acanelado sua pele e aveludado sua voz com tanto engenho que parecia uma menina velha. De antes, só lhe restavam os dentes perfeitos, com um que tinha mandado forrar de ouro por coqueteria. Guardava luto fechado pelo marido morto depois de cinquenta anos de vida comum, e o aumentou com uma espécie de boina negra pela morte do filho único que a ajudava em suas vilanias. Só lhe restavam vivos os olhos diáfanos e cruéis, e através deles me dei conta de que ela não tinha mudado de índole.

O armazém tinha uma lâmpada macilenta no teto e quase nada para vender nas prateleiras, que nem mesmo cumpriam a função de servir de disfarce para um negócio que todo mundo conhecia mas ninguém reconhecia. Rosa Cabarcas estava despachando um cliente quando entrei na ponta dos pés. Não sei se me desconheceu de verdade ou se havia fingido para manter as aparências. Sentei-me no banquinho de espera enquanto ela se desocupava e tentei reconstruí-la na memória tal como ela havia sido. Mais de duas vezes, nos tempos em que nós dois estávamos inteiros, também ela havia me livrado de meus sustos. Creio que leu meu pensamento, porque virou-se para mim e me examinou com uma intensidade alarmante. O tempo não passa em você, suspirou com tristeza. Eu quis agradá-la: Em você, passa, mas para melhor. De verdade, disse ela, até ressuscitou um pouco em você a cara de cavalo morto. Vai ver é porque mudei de pasto, respondi com picardia. Ela se animou. Pelo que lembro, você tinha um mastro de caravela. Como é que ele tem se portado? Escapei pela tangente: A única coisa diferente desde que nos vimos pela última vez é que às vezes meu rabo arde. Seu diagnóstico foi imediato: Falta de uso. Só tenho rabo para o que Deus fez, disse eu, mas na verdade ardia fazia tempo, e sempre na lua cheia. Rosa remexeu sua gaveta de alfaiate e destapou uma latinha de uma pomada verde que cheirava a linimento de arnica. Diga à menina que unte seu rabo com o dedinho, assim, disse ela movendo o dedo indicador com uma eloquência procaz. Repliquei que graças a Deus eu ainda era capaz de me defender sem unguentos selvagens. Ela caçoou: Ai, professor, perdoe e me deixe continuar viva. E foi cuidar de seus assuntos.

A menina estava no quarto desde as dez, me disse; era bela, limpa e bem-educada, mas estava morrendo de medo, porque uma amiga dela que escapou com um estivador de Gayra em duas horas tinha sangrado até o fim. Mas, admitiu Rosa, isso dá para entender, porque o pessoal de Gayra tem fama de fazer até as mulas cantarem. E retomou o fio: Pobrezinha, além de tudo tem de trabalhar o dia inteiro pregando botões numa fábrica. Não me pareceu que fosse um ofício tão duro. Isso é o que os homens acham, replicou ela, mas é pior que picar pedras. Além disso, me confessou que tinha dado à menina uma beberagem de valeriana com brometo, e que ela estava dormindo. Tive medo que a compaixão fosse outra artimanha para aumentar o preço, mas não, disse ela, minha palavra é de ouro. Com regras fixas: cada coisa paga por separado, em dinheiro vivo e por antecipado. E assim foi.

Segui-a pátio adentro, enternecido pela murchidão da sua pele, e pela maneira com que mal caminhava, com as pernas inchadas dentro das meias de algodão ordinário. A lua cheia estava chegando ao centro do céu e o mundo parecia submerso em águas verdes. Perto do armazém havia um cobertiço de palma para as farras da administração pública, com numerosos tamboretes de couro e redes dependuradas nas vigas. Atrás do quintal, onde começava o bosque de árvores frutíferas, havia uma galeria de seis alcovas de adobe sem emboçar, com janelas de tela para evitar os pernilongos. A única ocupada estava à meia-luz, e Toña la Negra cantava no rádio uma canção de amores malogrados. Rosa Cabarcas tomou fôlego: O bolero é a vida. Eu estava de acordo, mas até hoje não me atrevi a escrever isso. Ela empurrou a porta, entrou um instante e tornou a sair. Continua dormindo, disse. Você faria bem em deixá-la descansar tudo o que o corpo pedir, sua noite é mais longa que a dela. Eu estava atordoado: O que você acha que eu devo fazer? Você é que sabe, disse ela com uma placidez fora de lugar, não é à toa que é sábio. Deu meia-volta e me deixou sozinho com o terror.

Não havia escapatória. Entrei no quarto com o coração desvairado e vi a menina adormecida, nua e desamparada na enorme cama de aluguel, tal e como sua mãe a tinha parido. Jazia meio de lado, de cara para a porta, iluminada pelo lustre com uma luz intensa que não perdoava detalhe algum. Sentei-me para contemplá-la da beira da cama com um feitiço dos cinco sentidos. Era morena e morna. Tinha sido submetida a um regime de higiene e embelezamento que não descuidou nem os pelos incipientes de seu púbis. Haviam cacheado seus cabelos e tinha nas unhas das mãos e dos pés um esmalte natural, mas a pele cor de melaço parecia áspera e maltratada. Os seios recém-nascidos ainda pareciam de menino, mas viam-se urgidos por uma energia secreta a ponto de explodir. O melhor de seu corpo eram os pés grandes de passos sigilosos com dedos longos e sensíveis como se fossem de outras mãos. Estava ensopada num suor fosforescente apesar do ventilador, e o calor se tornava insuportável à medida que a noite avançava. Era impossível imaginar como seria a cara lambuzada de cores, a espessa crosta de pó de arroz com dois remendos de carmim nas bochechas, as pestanas postiças, as sobrancelhas e pálpebras que pareciam pintadas com tição, e os lábios aumentados com um verniz de chocolate. Mas nem os trapos nem as tinturas eram suficientes para dissimular seu gênio: o nariz altivo, as sobrancelhas encontradas, os lábios intensos. Pensei: Um meigo touro de briga.

Às onze fui aos meus assuntos de rotina no banheiro, onde estava sua roupa de pobre dobrada sobre uma cadeira com um esmero de rica: um vestido de algodãozinho barato com borboletas estampadas, umas calcinhas amarelas de chita e umas sandálias de corda trançada. Em cima da roupa havia uma pulseira de miçanga e uma correntinha muito fina com a medalha da Virgem. Na beira da pia, uma bolsinha de mão com um batom, um estojo de ruge, uma chave e umas moedas soltas. Tudo tão barato e envilecido pelo uso que não consegui imaginar ninguém tão pobre como ela.

Me despi e dispus as peças de roupa do melhor jeito que pude no cabide para não estropiar a seda da camisa e o linho bem-passado. Urinei na privada sentado e como me ensinou, desde menino, Florina de Dios, para que não molhasse a beira do vaso, e ainda, modéstia à parte, com um jorro imediato e contínuo de potro bravio. Antes de sair cheguei perto do espelho da pia. O cavalo que me olhou do outro lado não estava morto mas lúgubre, e tinha uma papada de Papa, as pálpebras inchadas, e mirradas as crinas que haviam sido minha melena de músico.

— Merda — eu disse a ele —, o que é que eu posso fazer se você não gosta de mim?

Tratando de não despertá-la, sentei-me nu na cama com os olhos já acostumados aos enganos de luz avermelhada, e revisei-a palmo a palmo. Deslizei a ponta do dedo indicador ao longo de sua nuca empapada e ela inteira estremeceu por dentro como um acorde de harpa, virou-se para mim com um grunhido e me envolveu no clima de seu hálito ácido. Apertei seu nariz com o polegar e o indicador, e ela se sacudiu, afastou a cabeça e me deu as costas sem despertar. Tentei separar suas pernas com meu joelho por causa de uma tentação imprevista. Nas duas primeiras tentativas ela se opôs com as coxas tensas. Cantei em seu ouvido: *A cama de Delgadina de anjos está rodeada.* Relaxou um pouco. Uma corrente cálida subiu pelas minhas veias, e meu lento animal aposentado despertou de seu longo sono.

Delgadina, minha alma, supliquei ansioso. Delgadina. Lançou um gemido lúgubre, escapou de minhas coxas, me deu as costas e enroscou-se como um caracol em sua concha. A poção de valeriana deve ser tão eficaz para mim como para ela, porque não aconteceu nada, nem com ela nem com ninguém. Mas não me importei. Perguntei-me de que adiantaria despertá-la, humilhado e triste do jeito que me sentia, e frio que nem uma pescada amarela.

Nítidas, inelutáveis, soaram então as badaladas das doze da noite, e começou a madrugada do 29 de agosto, dia do Martírio de São João Batista. Alguém chorava aos gritos na rua e ninguém dava confiança.

Rezei por ele, se fizesse falta, e também por mim, em ação de graças pelos benefícios recebidos: *Que ninguém se engane, não, pensando que o que espera haverá de durar mais do que durou o que viu.* A menina gemeu em sonhos, e também rezei por ela: *Pois eis que tudo haverá de passar dessa maneira.* Depois apaguei o rádio e a luz para dormir.

Acordei de madrugada sem me lembrar onde estava. A menina continuava dormindo de costas para mim em posição fetal. Tive a sensação indefinida de que havia sentido a maneira como ela se levantava na escuridão e de ter ouvido a descarga do banheiro, mas bem que podia ter sido um sonho. Foi algo novo para mim. Ignorava as manhas da sedução e sempre tinha escolhido ao acaso as noivas de uma noite, mais pelo preço que pelos encantos, e fazíamos amores sem amor, meio vestidos na maior parte das vezes e sempre na escuridão para imaginar-nos melhores. Naquela noite descobri o prazer inverossímil de contemplar, sem as angústias do desejo e os estorvos do pudor, o corpo de uma mulher adormecida.

Levantei-me às cinco, inquieto porque minha crônica dominical deveria estar na mesa da redação antes do meio-dia. Fiz minha deposição pontual, ainda com os ardores da lua cheia, e quando soltei a corrente da água senti que meus rancores do passado foram-se embora pelos canos. Quando voltei fresco e vestido ao dormitório, a menina dormia de barriga para cima na luz conciliadora do amanhecer, atravessada lado a lado na cama, com os braços abertos em cruz e dona absoluta da sua virgindade. Que Deus a conserve, disse a ela. Todo dinheiro que me sobrava, o dela e o meu, pus no travesseiro, e me despedi para sempre e nunca mais com um beijo em sua testa. A casa, como todo bordel ao amanhecer, era a coisa mais parecida com o paraíso. Saí pelo portão do pomar para não encontrar ninguém. Debaixo do sol abrasador da rua comecei a sentir o peso dos meus noventa anos, e a contar minuto a minuto os minutos das noites que me faltavam para morrer.

# 2

Escrevo esta memória no pouco que resta da biblioteca que foi de meus pais, e cujas estantes estão a ponto de desmoronar graças ao trabalho paciente dos cupins. Afinal, para o que me falta fazer neste mundo, me bastariam os dicionários de todo tipo, com as duas primeiras séries dos *Episodios nacionales* de dom Benito Pérez Galdós, e com *A montanha mágica*, que me ensinou a entender os humores de minha mãe desnaturalizados pela tísica.

À diferença dos outros móveis, e de mim mesmo, a mesona em que escrevo parece melhor de saúde com o passar do tempo, porque foi fabricada com madeiras nobres por meu avô paterno, que era carpinteiro de navios. Mesmo quando não preciso escrever, todas as manhãs arrumo a mesa com o rigor ocioso que me fez perder tantos amores. Ao alcance da mão tenho meus livros cúmplices: os dois tomos do *Primer Diccionario Ilustrado* da Real Academia, de 1903; o *Tesoro de la Lengua Castellana o Española* de dom Sebastián de Covarrubias; a gramática de dom Andrés Bello, para o caso de surgir alguma dúvida semântica, como convém; o novidadeiro *Diccionario ideológico* de dom Julio Casares, em especial por causa de seus antônimos e seus sinônimos; o *Vocabolario della Lingua Italiana* de Nicola Zingarelli, para favorecer-me com o idioma de minha mãe, que aprendi no berço, e o dicionário de latim, que por ser a mãe das duas outras considero como sendo minha língua natal.

À esquerda da escrivaninha mantenho sempre as cinco folhas de papel de linho tamanho ofício para minha crônica dominical, e o chifre com pó que prefiro à moderna almofadinha de mata-borrão. À direita estão o tinteiro e o porta-caneta de madeira de lei com a pena de bico de ouro, pois ainda manuscrevo com a letra romântica que me ensinou Florina de Dios para que eu não me desse à caligrafia oficial de seu esposo, que foi notário público e contador juramentado até seu último suspiro. Faz tempo que nos impuseram no jornal a ordem de escrever à máquina para melhor cálculo do texto no chumbo da linotipo e maior acerto na hora de armar a página, mas nunca me dei a este mau hábito. Continuei escrevendo à mão e transcrevendo na máquina com um agudo picotar de galinha, graças ao privilégio ingrato de ser o empregado mais antigo. Hoje, aposentado mas não vencido, gozo do privilégio sacro de escrever em casa, com o telefone fora do gancho para que ninguém me perturbe, e sem censor que espreite o que escrevo por cima de meu ombro.

Vivo sem cães nem pássaros nem pessoal de serviço, a não ser a fiel Damiana que me tirou dos apuros menos imaginados, e continua vindo uma vez por semana para o que houver de ser feito, mesmo como está, curta de vista e de entendimento. Minha mãe em seu leito de morte me suplicou que me casasse jovem com mulher branca, que tivéssemos pelo menos três filhos, e entre eles uma menina com seu nome, que tinha sido o de sua mãe e o de sua avó. Estive pendente desta súplica, mas tinha uma ideia tão flexível da juventude que nunca achei que era demasiado tarde. Até o meio-dia caloroso em que me enganei de porta na casa que os Palomares de Castro tinham em Pradomar e surpreendi nua Ximena Ortiz, a menor de suas filhas, que fazia a sesta na alcova contígua. Estava deitada de costas para a porta e virou-se para me olhar por cima do ombro com um gesto tão rápido que não me deu tempo de escapar. Ai!, perdão, consegui dizer com a alma na boca. Ela sorriu, virou-se para mim com um ar de gazela e mostrou-se a mim de corpo inteiro. Cada palmo do quarto parecia saturado de sua intimidade. Não estava em pura carne, pois tinha na orelha uma flor venenosa de pétalas alaranjadas, como a *Olímpia* de Manet, e também usava uma escrava ouro no pulso direito e uma gargantilha de pérolas miúdas. Nunca imaginei que pudesse ver algo mais perturbador no que me faltasse de vida, e hoje posso assegurar que tinha razão.

Fechei a porta de um golpe, envergonhado com a minha imprudência, e com a determinação de esquecê-la. Mas Ximena Ortiz não deixou. Por meio de amigas em comum me mandava recados, epístolas provocadoras, ameaças brutais, enquanto espalhava-

-se a voz de que estávamos loucos de amor um pelo outro sem que tivéssemos trocado uma palavra sequer. Foi impossível resistir. Tinha uns olhos de gata fujona, um corpo tão provocador com roupa ou sem, e uma cabeleira frondosa de ouro alvoroçado e cuja emanação de mulher me fazia chorar de raiva no travesseiro. Sabia que nunca chegaria a ser amor, mas a atração satânica que exercia sobre mim era tão ardorosa que tentava me aliviar com tudo que era dama da vida de olhos verdes que encontrava no meu caminho. Nunca consegui sufocar o fogo de sua lembrança na cama de Pradomar, e assim entreguei-lhe minhas armas, com pedido formal de mão, troca de anéis e anúncio de boda antes de Pentecostes.

A notícia explodiu com mais força no Bairro Chinês que nos clubes sociais. Primeiro com deboche, mas transformou-se numa contrariedade concreta das acadêmicas que viam o matrimônio como uma situação mais ridícula que sagrada. Meu noivado foi cumprido com todos os rituais da moral cristã no terraço de orquídeas amazônicas e samambaias penduradas da casa de minha noiva. Chegava às sete da noite, todo de linho branco, e com um presente qualquer de adornos artesanais ou chocolates suíços, e falávamos meio em código e meio a sério até as dez, sob a custódia da tia Argénida, que adormecia no primeiro pestanejar como as amas guardiãs dos romances da época.

Ximena ia se fazendo mais voraz à medida que nos conhecíamos melhor, livrava-se de corpetes e anáguas conforme apertavam os mormaços de junho, e era fácil imaginar o poder de demolição que devia ter na penumbra. Aos dois meses de noivado não tínhamos do que falar, e ela propôs o tema dos filhos sem dizer nada, tecendo botinhas de crochê em lã crua para recém-nascidos. Eu, noivo gentil, aprendi a tecer com ela, e assim se foram as horas inúteis que faltavam para o casamento, eu tecendo as botinhas azuis para meninos e ela tecendo as cor-de-rosa para meninas, para ver quem acertava, até que chegaram a ser suficientes para mais de meia centena de filhos. Antes que dessem as dez da noite eu subia numa charrete puxada a cavalo e ia para o Bairro Chinês viver minha noite na paz de Deus.

As tempestuosas despedidas de solteiro que me faziam no Bairro Chinês iam na contramão dos serões opressivos do Club Social. Contraste que me serviu para saber qual dos dois mundos era na realidade o meu, e cheguei a ter a ilusão de que os dois eram porém cada um na sua hora, pois de qualquer dos dois eu via o outro se afastar com os suspiros dilacerados com que se separam os barcos em alto-mar. O baile de véspera no El Poder de Dios incluiu uma cerimônia final que só podia ter sido ideia de um padre galego encalhado na concupiscência, que vestiu a mulherada com véus e botões de flor de laranjeira, para que todas se casassem comigo num sacramento universal. Foi uma noite de grandes sacrilégios em que vinte e duas delas prometeram amor e obediência e respondi prometendo fidelidade e sustento até o além-túmulo.

Não consegui dormir por causa do presságio de algo irremediável. Já na madrugada comecei a contar a passagem das horas no relógio da catedral, até as sete badaladas temíveis em que deveria estar na igreja. A campainha do telefone começou às oito; longa, tenaz, inesperada, durante mais de uma hora. Não apenas não respondi: não respirei. Pouco antes das dez bateram na porta, primeiro com a mão, e depois com gritos e vozes conhecidas e abominadas. Temia que a derrubassem por alguma desgraça grave, mas lá pelas onze a casa ficou no silêncio ouriçado que vem logo depois das grandes catástrofes. Então chorei por ela e por mim, e rezei de todo coração para não me encontrar com ela nunca mais em meus dias. Algum santo me ouviu em parte, pois Ximena Ortiz foi-se embora do país naquela mesma noite e só voltou uns vinte anos depois, bem-casada e com os sete filhos que podiam ter sido meus.

Muito trabalho me deu manter meu posto e minha coluna de *El Diario de La Paz* depois daquela afronta social. Mas não foi por isso que relegaram minhas crônicas para a página onze, e sim pelo ímpeto cego com que entrou o século XX. O progresso se transformou no mito da cidade. Tudo mudou; voaram os aviões e um homem de visão atirou um saco de cartas de um Junker e inventou o correio aéreo.

A única coisa que permaneceu igual foram minhas crônicas no jornal. As novas gerações arremeteram contra elas, como contra uma múmia do passado que devia ser demolida, mas eu as mantive no mesmo tom, sem concessões, contra os ares de renovação. Fui surdo a tudo. Havia feito quarenta anos, mas os redatores jovens a chamavam de a *Coluna de Mudarra, o Bastardo.* O diretor daquela época me chamou então ao seu escritório para pedir que eu me pusesse afinado com as novas correntes. De um jeito solene, como se acabasse de inventar, me disse: O mundo avança. Sim, respondi, avança, mas dando voltas ao redor do sol. Manteve minha crônica dominical porque não encontraria outro domador de telegramas. Hoje sei que eu tinha razão, e por quê. Os adolescentes da minha geração, ávidos pela vida, esqueceram de corpo e alma as ilusões do porvir, até que a realidade ensinou a eles que o futuro não era do jeito que sonhavam e descobriram a nostalgia. Lá estavam minhas crônicas dominicais, como uma relíquia arqueológica entre os escombros do passado, e se deram conta de que elas não eram só para velhos mas para jovens que não tiveram medo de envelhecer. A crônica voltou então à seção editorial e, em ocasiões especiais, à primeira página.

A quem me pergunta respondo sempre com a verdade: as putas não me deram tempo para casar.

No entanto devo reconhecer que nunca tive essa explicação até o dia dos meus noventa anos, quando saí da casa de Rosa Cabarcas com a determinação de nunca mais provocar o destino. Eu me sentia outro. Meu humor se transtornou por causa da tropa que vi postada nas grades de ferro que rodeiam o parque. Encontrei Damiana esfregando o chão, de quatro na sala, e a juventude de suas coxas naquela idade me suscitou um tremor de outra época. Ela deve ter pressentido alguma coisa porque se tapou com a saia. Não pude reprimir a tentação de perguntar a ela: Diga uma coisa, Damiana: de que você se lembra? Não estava me lembrando de nada, disse ela, mas sua pergunta me faz lembrar. Senti uma opressão no peito. Nunca me apaixonei, disse a ela. E ela replicou de chofre: Pois eu, sim. E terminou sem interromper sua tarefa: Chorei vinte e dois anos pelo senhor. Meu coração deu um salto. Buscando uma saída digna, disse a ela: Teríamos feito uma boa dupla. Pois o senhor faz mal em me dizer isso agora, disse ela, porque já não me serve nem de consolo. Quando saía da casa, me disse do modo mais natural: O senhor não vai acreditar, mas continuo sendo virgem, graças a Deus.

Pouco depois descobri que ela tinha deixado floreiros de rosas vermelhas pela casa inteira, e um cartão no travesseiro: *Lhe desejo que xegue aos sem*. Com este desconcerto sentei-me para continuar a crônica que havia deixado pela metade na noite anterior. Terminei-a num fôlego só em menos de duas horas e tive de me espremer até o fim para arrancá-la das entranhas sem que ninguém notasse meu pranto. Por um golpe de inspiração tardia decidi arrematá-la com o anúncio de que com ela punha um final feliz a uma vida longa e digna sem a desagradável circunstância de morrer.

Meu propósito era deixar a crônica na portaria do jornal e voltar para casa. Mas não consegui. O pessoal todo estava me esperando para celebrar meu aniversário. O edifício estava em obras, com andaimes e escombros frios por todo lado, mas haviam parado as obras para a festa. Numa mesa de carpinteiro estavam as bebidas para os brindes e os presentes embrulhados em papel de seda. Aturdido pelos relâmpagos das câmeras, fiquei com todas as fotos da lembrança.

Alegrei-me por encontrar ali jornalistas de rádio e dos outros jornais da cidade: *La Prensa*, matutino conservador; *El Heraldo*, matutino liberal, e *El Nacional*, vespertino sensacionalista que tratava de aliviar as tensões da ordem pública com folhetins passionais. Não era estranho que estivessem juntos, pois dentro do espírito da cidade foi sempre de bom alvitre que se mantivessem intactas as amizades da tropa enquanto os marechais travavam sua guerra editorial.

Também estava lá, e fora de seu horário, o censor oficial, Jerónimo Ortega, que chamávamos de *Abominável Homem das Nove* porque chegava pontualmente a essa hora da noite com seu lápis sangrento de sátrapa godo. Ficava por lá até assegurar-se de que não houvesse letra impune na edição da manhã. Tinha uma aversão pessoal a mim, por minhas veleidades de gramático, ou porque utilizava palavras italianas sem aspas e sem grifar quando me pareciam mais expressivas que em castelhano, como deveria ser de uso legítimo entre línguas siamesas. Depois de aturá-lo por quatro anos, tínhamos terminado por aceitá-lo como a má consciência de nós mesmos.

As secretárias levaram ao salão um bolo com noventa velas acesas que fizeram com que eu enfrentasse pela primeira vez o número de meus anos. Tive de tragar as lágrimas quando cantaram parabéns e me lembrei da menina sem motivo algum. Não foi um golpe de rancor mas de compaixão tardia por uma criatura de quem não esperava tornar a me lembrar. Quando o arrepio da emoção passou, alguém havia posto uma faca em minha mão para que eu cortasse o bolo. Por medo do deboche ninguém quis se arriscar a improvisar um discurso. Eu teria preferido morrer a responder. Para terminar a festa, o chefe de redação, por quem nunca tive grande simpatia, nos devolveu à realidade inclemente. Agora, sim, ilustre nonagenário, me disse: Onde está a sua crônica?

A verdade é que a tarde inteira eu a sentia ardendo como uma brasa no meu bolso, mas a emoção havia entrado tão fundo que não tive razão para aguar a festa com minha demissão. Disse: Hoje não tem. O chefe de redação ficou aborrecido pela falta que seria inconcebível desde o século anterior. Entenda de uma vez por todas, disse eu, tive uma noite tão difícil que amanheci emburrecido. Pois devia ter escrito sobre isso, disse ele com seu humor de vinagre. Os leitores gostarão de saber de primeira mão como é a vida aos noventa. Uma das secretárias intrometeu-se. Vai ver é um segredo delicioso, disse, e me olhou com malícia: Ou não? Uma rajada ardente abrasou meu rosto. Maldição, pensei, como o rubor é desleal. Outra, radiante, me apontou com o dedo. Que maravilha! Ainda tem a elegância de ficar vermelho. Sua impertinência me provocou outro rubor em cima do rubor. Deve ter sido uma noite feroz, disse a primeira secretária: Que inveja! E me deu um beijo que ficou pintado na minha cara. Os fotógrafos deliraram. Ofuscado, entreguei a crônica ao chefe de redação, e falei que o que tinha dito antes era brincadeira, aqui está ela, e escapei atarantado pela última salva de aplausos, para não estar presente quando descobrissem que era minha carta de demissão ao final de meio século de galés.

A ansiedade continuava a durar em mim naquela noite, enquanto desembrulhava os presentes em casa. Os linotipistas desacertaram com uma cafeteira elétrica igual às três de meus aniversários anteriores. Os tipógrafos me deram de presente uma autorização para apanhar um gato angorá no depósito municipal. A gerência me deu uma bonificação simbólica. As secretárias me deram três cuecas de seda com marcas de beijos estampados e um cartãozinho em que se ofereciam para apagá-los. Na hora, pensei que um dos encantos da velhice são as provocações que as amigas jovens se permitem, achando que a gente está fora do jogo.

Jamais soube quem me mandou um disco que trazia os vinte e quatro prelúdios de Chopin com Stefan Askenase. Os redatores, em sua maioria, me deram livros que estavam na moda. Não havia acabado de desembrulhar os presentes quando Rosa Cabarcas me ligou com a pergunta que eu não queria ouvir: O que aconteceu com a menina? Nada, respondi sem pensar. Você acha que não ter nem acordado a menina é nada?, disse Rosa Cabarcas. Uma mulher não perdoa nunca que um homem a despreze na estreia. Aleguei que a menina não poderia estar tão exausta só de pregar botões e que talvez tenha bancado a adormecida de tanto medo do mau transe. A única coisa grave, disse Rosa, é que ela acha de verdade que você já não serve mais, e eu não gostaria que a menina andasse por aí espalhando isso aos quatro ventos.

Não dei a Rosa o prazer de me surpreender. Pois mesmo que isso fosse verdade, respondi, seu estado é tão deplorável que não dá para contar com ela nem dormindo nem acordada: é carne de hospital. Rosa Cabarcas baixou o tom: A culpa é da pressa com que fizemos o trato, mas tem remédio, você vai ver. Prometeu pôr a menina em confissão, e se fosse o caso obrigá-la até mesmo a devolver o dinheiro, o que você acha? Deixa como está, respondi, não aconteceu nada, e além do mais me serviu de prova de que não estou dando mais para essas coisas. Nesse sentido a menina tem razão: não sirvo mais. Desliguei o telefone, saturado por um sentimento de libertação que não tinha conhecido na vida, e finalmente a salvo de uma servidão que me mantinha subjugado desde os meus treze anos.

Às sete da noite fui o convidado de honra do concerto de Jacques Thibault e Alfred Cortot na sala de Belas-Artes, com uma interpretação gloriosa da sonata para violino e piano de Cesar Frank, e no intervalo escutei elogios inverossímeis. O maestro Pedro Biava, nosso grande músico, levou-me quase arrastado ao camarim para me apresentar aos intérpretes.

Fiquei tão atordoado que acabei cumprimentando os dois por uma sonata de Schumann que eles nem tinham tocado, e alguém me corrigiu em público e de um jeito ruim. A impressão de que eu havia confundido as duas sonatas por simples ignorância ficou semeada no ambiente e agravada por uma explicação atrapalhada com que tentei remendá-la no domingo seguinte, na minha resenha crítica do concerto.

Pela primeira vez em minha longa vida me senti capaz de matar alguém. Voltei para casa atormentado pelo diabinho que sopra no ouvido as respostas devastadoras que não demos na hora certa, nem a leitura nem a música mitigaram a minha raiva. Por sorte Rosa Cabarcas me tirou do desvario com um grito no telefone: Estou feliz com o jornal, porque não achei que você estava fazendo noventa mas cem. Respondi encrespado: Você me achou tão fodido assim? Pelo contrário, disse ela, o que me surpreendeu foi ver você tão bem. Que bom que você não virou um desses velhos assanhados que aumentam a idade para que todo mundo ache que está muito bem. E mudou de assunto sem intervalo: Tenho seu presente aqui. Fiquei surpreso de verdade: O que é? A menina, disse ela.

Não precisei nem de um instante para pensar. Obrigado, disse a ela, mas esse assunto são águas passadas. Ela continuou ao largo: Vou mandá-la à sua casa embrulhada em papel de seda e fervida com pau de sândalo no banho-maria, tudo de graça. Fiquei firme, e ela se debateu numa explicação enrolada que me pareceu sincera. Disse que a menina estava em tão mau estado naquela sexta-feira por ter pregado duzentos botões com agulha e dedal. Que era de verdade seu medo das violações sangrentas, mas que já estava instruída para o sacrifício. Que naquela noite passada comigo ela havia se levantado para ir ao banheiro e que eu estava num sono tão profundo que sentiu pena de me despertar, e quando acordou de manhã eu já tinha ido embora. Fiquei indignado com aquela mentira que me pareceu inútil. Bem, prosseguiu Rosa Cabarcas, mesmo que fosse mentira, ela está arrependida. Coitadinha, está aqui na minha frente. Quer falar com ela? Pelo amor de Deus, não, respondi.

Tinha começado a escrever quando a secretária do jornal ligou. O recado era que o diretor queria me ver no dia seguinte às onze da manhã. Cheguei pontualmente. O estrondo da reforma do prédio não parecia suportável, o ar estava pesado por causa das marteladas, o pó de cimento e a fumaça de alcatrão, mas a redação havia aprendido a pensar na rotina do caos. A sala do diretor, porém, gelada e silente, permanecia num país ideal que não era o nosso.

O terceiro Marco Tulio, com um ar adolescente, ficou de pé ao me ver entrar, sem interromper uma conversa no telefone, apertou a minha mão por cima da escrivaninha e fez um sinal indicando que eu me sentasse. Cheguei a pensar que não havia ninguém no outro lado da linha, e que fazia aquela farsa para me impressionar, mas logo descobri que ele falava com o governador, e era de verdade um diálogo difícil entre inimigos cordiais. Além do mais, acho que se esmerava para parecer enérgico na minha frente, embora ao mesmo tempo se mantivesse de pé enquanto falava com a autoridade.

Dava para notar seu vício pela pulcritude. Acabava de fazer vinte e nove anos com quatro idiomas e três mestrados internacionais, à diferença do primeiro presidente vitalício, seu avô paterno, que se fez jornalista empírico depois de ter amealhado uma fortuna com o tráfico de brancas. Tinha maneiras fáceis, se passava por galhardo e sereno, e a única coisa que punha sua superioridade em perigo era uma nota falsa na voz. Usava um paletó esportivo com uma orquídea viva na lapela, e cada coisa parecia como se fosse de sua própria natureza, mas nada nele estava feito para o clima do vale, e sim para a primavera de sua sala. Eu, que tinha gastado quase duas horas para me vestir, senti o opróbrio da pobreza, e minha raiva aumentou.

Contudo, o veneno mortal estava numa foto panorâmica dos funcionários, feita no XXV aniversário da fundação do jornal, e na qual estavam assinalados com uma cruzinha sobre a cabeça os que iam morrendo. Eu era o terceiro da direita, com o chapéu de palha, a gravata de laço grande com uma pérola no prendedor, o primeiro bigode de coronel de guarda civil que tive até os quarenta anos, e os óculos metálicos de seminarista que não me fizeram falta depois do meio século. Havia visto aquela foto dependurada durante anos em diferentes escritórios, mas só então fui sensível à sua mensagem: dos quarenta e oito empregados originais só quatro estávamos vivos, e o mais jovem de nós cumpria uma pena de vinte anos por assassinato múltiplo.

O diretor terminou a ligação, me surpreendeu olhando a foto e sorriu. Quem pôs as cruzinhas não fui eu, disse. Acho que são de muito mau gosto. Sentou-se à mesa e mudou de tom: Permita-me dizer que o senhor é o homem mais imprevisível que conheci. E, diante da minha surpresa, se antecipou a tudo: Estou falando da sua demissão. Mal consegui dizer: É uma vida inteira. Ele replicou que justamente por isso não era uma solução pertinente. Tinha achado a crônica magnífica, e tudo o que dizia da velhice era o melhor que jamais havia lido, e não tinha sentido terminá-la com uma decisão que mais parecia uma morte civil. Por sorte, disse ele, o *Abominável Homem das Nove* leu a crônica quando ela já estava armada na página editorial e achou que era inadmissível. Sem consultar ninguém riscou-a de alto a baixo com seu lápis de Torquemada. Quando fiquei sabendo esta manhã mandei que enviassem uma nota de protesto ao Governo. Era meu dever, mas cá entre nós posso dizer que estou muito agradecido pela arbitrariedade do censor. Quero dizer que não estava disposto a aceitar que a crônica fosse suspensa. Suplico ao senhor do fundo da minha alma, disse. Não abandone o barco em alto-mar. E concluiu em grande estilo: Ainda temos muito pela frente para falar de música.

Senti que ele estava tão decidido, que não me atrevi a agravar a divergência com um argumento qualquer. O problema, na realidade, era que nem naquela hora eu encontrava um motivo decente para abandonar a roda-viva, e me aterrorizou a ideia de dizer a ele que sim, uma vez mais, só para ganhar tempo. Tive que me reprimir para que não notasse a emoção impudica que me sufocava até as lágrimas. E outra vez, como sempre, depois de tantos anos ficamos na mesma de sempre.

Na semana seguinte, presa de um estado que era mais de confusão que de alegria, passei pelo depósito municipal para recolher o gato que os impressores tinham me dado de aniversário. Tenho uma química ruim com os animais, do mesmo jeito que com as crianças assim que começam a falar. Acho que são mudos de alma. Não os odeio, mas não consigo suportá-los porque não aprendi a negociar com eles. Acho contra a natureza que um homem se entenda melhor com seu cão do que com sua esposa, que o ensine a comer e a descomer na hora certa, a responder perguntas e a compartilhar suas penas. Mas não recolher o gato dos tipógrafos seria uma indelicadeza. Além do mais, era um precioso exemplar de angorá, de pele rosada e lustrosa e olhos iluminados, cujos miados pareciam a ponto de ser palavras. Me deram numa canastra de vime com um certificado de sua estirpe e um manual de uso como o que vem com as bicicletas para armar.

Uma patrulha militar verificava a identidade dos transeuntes antes de autorizar a passagem pelo parque de San Nicolás. Nunca havia visto nada igual nem podia imaginar nada mais desalentador como sintoma da minha velhice. Era uma patrulha de quatro, comandada por um oficial quase adolescente. Os agentes eram homens toscos, duros e calados, com um odor de estábulo. O oficial vigiava tudo com as faces tostadas dos andinos na praia. Depois de examinar minha carteira de identidade e minha credencial de jornalista me perguntou o que eu levava na cesta. Um gato, respondi. Ele quis ver. Destapei a cesta com toda precaução, com medo de que o gato escapasse, mas um agente quis ver se havia alguma outra coisa no fundo, e o gato esticou-lhe as garras. O oficial se interpôs. É uma joia de angorá, disse. Acariciou-o enquanto murmurava alguma coisa, e o gato não o agrediu mas também não lhe deu a menor confiança. Quantos anos tem?, perguntou. Não sei, respondi, acabo de ganhar de presente. Estou perguntando porque dá para ver que é muito velho, uns dez anos, talvez. Quis perguntar como é que sabia, e muitas outras coisas, mas a despeito de suas boas maneiras e de sua fala floreada não me sentia com estômago para falar com ele. Acho que é um gato abandonado que passou por poucas e boas, falou. Observe-o, não o acostume ao senhor, mas, ao contrário, o senhor que se acostume a ele, e deixe-o em paz, até ganhar sua confiança. Fechou a tampa da cesta e me perguntou: O senhor trabalha em quê? Sou jornalista. Desde quando? Faz um século, respondi. Não duvido, disse ele. Apertou a minha mão e se despediu com uma frase que podia ser um bom conselho ou uma ameaça:

— Vá com muito cuidado.

Ao meio-dia desliguei o telefone para me refugiar num programa especial: a rapsódia para clarineta e orquestra de Wagner, a de saxofone de Debussy e o quinteto de cordas de Bruckner, que é um remanso edênico no cataclismo da sua obra. E de repente me encontrei envolto nas sombras do estúdio. Senti deslizar debaixo da minha mesa algo que não me pareceu um corpo vivo, e sim uma presença sobrenatural que roçou meus pés, e saltei com um grito. Era o gato com seu belo rabo empenachado, sua lentidão misteriosa e sua estirpe mítica, e não consegui evitar o calafrio de estar sozinho na casa com um ser vivo que não era humano.

Quando deram as sete badaladas na catedral, havia uma estrela solitária e límpida no céu cor-de-rosas, um barco lançou um adeus desconsolado, e senti na garganta o nó górdio de todos os amores que puderam ter sido e que não foram. Não aguentei mais. Peguei o telefone e disquei os quatro números muito devagar para não errar, e no terceiro toque reconheci a voz. Muito bem, mulher, perdoe minha malcriação desta manhã. Ela, tranquila: Não se preocupe, estava esperando seu telefonema. Adverti: Quero que a menina me espere como Deus a botou no mundo e sem vernizes na cara. Ela soltou sua risada gutural. O que você quiser, disse, mas está perdendo o gostinho de deixá-la peladinha peça por peça, como os velhos adoram, sei lá por quê. Mas eu, sim, sei, respondi: Porque estão ficando cada vez mais velhos. Ela concordou com tudo.

— Está bem — disse —, então esta noite às dez em ponto, antes que o suflê desande.

# 3

Como será que se chamava? A dona não tinha dito. Quando me falava dela só dizia: a menina. E eu tinha transformado isso em nome de batismo, como a menina dos olhos. Além do mais, para cada cliente Rosa Cabarcas punha em suas discípulas um nome diferente. Eu me divertia adivinhando esses nomes pelas caras, e desde o começo tive certeza que a menina tinha um comprido, como Filomena, Saturnina ou Nicolasa. E estava nisso quando ela deu meia-volta na cama e ficou de costas para mim, e achei que tinha deixado um charco de sangue do tamanho e da forma do corpo. Foi um sobressalto instantâneo até eu comprovar que era a umidade do suor no lençol.

Rosa Cabarcas tinha me aconselhado a tratar a menina com cuidado, pois ela ainda sentia um resto do susto da primeira vez. E tem mais: acho que a própria solenidade do ritual havia agravado o medo e tinha sido preciso aumentar a dose de valeriana, pois dormia com tal placidez que teria sido uma pena despertá-la sem arrulhos. Assim, comecei a secá-la com a toalha enquanto cantava para ela em sussurros a canção de Delgadina, a filha mais nova do rei, requerida de amores pelo pai. À medida que a secava ela ia me mostrando os flancos suados ao compasso de meu canto: *Delgadina, Delgadina, tu serás minha prenda amada.* Foi um prazer sem limites, pois ela tornava a suar por um lado quando eu acabava de secá-la pelo outro, para que a canção não terminasse nunca. *Levanta, Delgadina, ponha tua saia de seda*, eu cantava junto ao seu ouvido. No final, quando os criados do rei a encontraram morta de sede em sua cama, achei que minha menina estava a ponto de despertar ao escutar o nome. Então, essa era ela: Delgadina.

Voltei para a cama com minha cueca de beijos estampados e me estendi ao lado dela. Dormi até as cinco ao acalanto de sua respiração apaziguada. Me vesti depressa e sem me lavar, e só então vi a sentença escrita com batom no espelho da pia: *O tigre não come longe.* Sei que não estava lá na noite anterior e que ninguém podia ter entrado no quarto, de maneira que entendi a frase como um presente do diabo. Um trovão aterrorizante me surpreendeu na porta, e o quarto se encheu do cheiro premonitório de terra molhada. Não tive tempo de escapar ileso. Antes que encontrasse um táxi precipitou-se um grande aguaceiro, desses que costumam desordenar a cidade entre maio e outubro, pois as ruas de areias ardentes que descem para o rio se convertem em corredeiras que arrastam tudo que encontram pela frente. As águas daquele setembro estranho, depois de três meses de seca, tanto podiam ser providenciais como devastadoras.

Assim que abri a porta de casa, saiu ao meu encontro a sensação física de que eu não estava sozinho. Cheguei a sentir o presságio do gato saltando do sofá e escapulindo pela varanda. Em seu prato restavam as sobras de uma comida que eu não havia servido. A pestilência de suas urinas rançosas e de sua caca quente havia contaminado tudo. Eu tinha me dedicado a estudá-lo como estudei latim. O manual dizia que os gatos cavucam a terra para esconder seu esterco, e que nas casas sem quintal, como esta, fariam isso nos vasos de plantas ou em qualquer outro esconderijo. O apropriado seria preparar para ele desde o primeiro dia uma caixa com areia para orientar seu hábito, e foi o que fiz. Também dizia que a primeira coisa que fazem numa nova casa é marcar seu território urinando por todos os lados, e aquele talvez fosse o caso, mas o manual não dizia como remediar. Eu seguia suas artimanhas para me familiarizar com seus hábitos originais, mas não dei com seus esconderijos secretos, seus lugares de repouso, as causas de seus humores volúveis. Quis ensiná-lo a comer na hora certa, a usar a caixinha de areia no terraço, a não subir na minha cama enquanto eu dormia nem a fuçar os alimentos na mesa, e não consegui fazer com que entendesse que a casa era dele por direito adquirido e não como um butim de guerra. Acabei deixando que fizesse o que bem entendesse.

Ao entardecer enfrentei o aguaceiro, cujos ventos enfurecidos de ciclone ameaçavam destrambelhar a casa. Sofri um ataque de espirros sucessivos, meu crânio doía e eu estava com febre, mas me sentia possuído por uma força e uma determinação que não tive nunca a nenhuma idade e por causa alguma. Coloquei caçarolas no chão para recolher as goteiras e percebi que haviam aparecido algumas novas desde o inverno anterior. A maior delas tinha começado a inundar o lado direito da biblioteca. Corri para resgatar os autores gregos e latinos que viviam por aqueles lados, mas ao tirar os livros encontrei um jorro de alta pressão que saía de um cano furado no fundo da parede. Amordacei-o com trapos até onde pude para que me desse tempo de salvar os livros. O estrépito da água e o uivo do vento ganharam força no parque. De repente, um relâmpago fantasmagórico e seu trovão simultâneo impregnaram o ar de um forte cheiro de enxofre, o vento desbaratou as vidraças da varanda e a tremenda borrasca de mar arrebentou as fechaduras e se meteu dentro da casa. E no entanto, antes que se passassem dez minutos escampou de repente. Um sol esplêndido secou as ruas cheias de escombros encalhados, e voltou o calor.

Quando o aguaceiro passou eu continuava com a sensação de que não estava sozinho na casa. Minha única explicação é que da mesma forma que os fatos reais são esquecidos, também alguns que nunca aconteceram podem estar na lembrança como se tivessem acontecido. Pois se evocava a emergência do aguaceiro não me via a mim mesmo sozinho na casa, mas sempre acompanhado por Delgadina. Eu a havia sentido tão perto durante a noite que sentia o rumor de seu respirar no quarto de dormir, e a pulsação de sua face em meu travesseiro. Só assim entendi que tivéssemos podido fazer tanto em tão pouco tempo. Eu me lembrava de ter subido no escabelo da biblioteca e a recordava desperta com seu vestidinho de flores recebendo os livros para colocá-los a salvo. Via como ela corria de um lado a outro na casa batalhando com a tormenta, empapada de chuva e com água pelos tornozelos. Recordava como preparou no dia seguinte o café da manhã que nunca houve, e que pôs a mesa enquanto secava o chão e punha ordem no naufrágio da casa. Nunca esqueci seu olhar sombrio enquanto tomávamos o café da manhã: Por que você me conheceu tão velho? Respondi com a verdade: A idade não é a que a gente tem, mas a que a gente sente.

Desde então a tive na memória com tamanha nitidez que fazia dela o que queria. Mudava a cor de seus olhos conforme o meu estado de ânimo: cor de água ao despertar, cor de açúcar queimado quando ria, cor de lume quando a contrariava. E a vestia para a idade e a condição que convinham às minhas mudanças de humor: noviça apaixonada aos vinte anos, puta de salão aos quarenta, rainha da Babilônia aos setenta, santa aos cem. Cantávamos duetos de amor de Puccini, boleros de Agustín Lara, tangos de Carlos Gardel, e comprovávamos uma vez mais que aqueles que não cantam não podem nem imaginar o que é a felicidade de cantar. Hoje sei que não foi uma alucinação, e sim um milagre a mais do primeiro amor da minha vida aos noventa anos.

Quando a casa ficou em ordem, telefonei para Rosa Cabarcas. Santo Deus!, exclamou ao ouvir minha voz, achei que você tinha se afogado. Não conseguia entender que eu tivesse tornado a passar a noite com a menina sem tocá-la. Você tem todo o direito de não gostar dela, mas pelo menos porte-se como um adulto. Tratei de explicar, mas ela mudou de assunto sem transição: Seja como for estou de olho em outra um pouco mais velha, bela e também virgem. O pai quer trocá-la por uma casa, mas dá para discutir algum desconto. Meu coração gelou. De jeito nenhum, protestei, quero aquela mesma, e do mesmo jeito, sem fracassos, sem brigas, sem recordações ruins. Houve um silêncio no telefone, e finalmente a voz com que disse como se falasse sozinha: Bem, vai ver é isso que os médicos chamam de demência senil.

Fui às dez da noite com um chofer conhecido pela estranha virtude de não fazer perguntas. Levei um ventilador portátil e um quadro de Orlando Rivera, o querido *Figurita*, e um martelo e um prego para pendurá-lo. No caminho fiz uma parada para comprar escova de dentes, pasta dentifrícia, sabão de cheiro, Água de Florida, barras de alcaçuz. Quis levar também um bom floreiro e um ramo de rosas amarelas para conjurar a sorte ruim trazida pelas flores de papel, mas não encontrei nada aberto e tive que roubar num jardim particular um ramo de recém-nascido amor-perfeito.

Por instruções da dona cheguei desde então pela rua de trás, do lado do aqueduto, para que ninguém me visse entrar pelo portão do pomar. O chofer me preveniu: Cuidado, sábio, nessa casa matam gente.

Respondi: Se for por amor, não importa. O quintal estava em trevas, mas havia luzes de vida nas janelas e um emaranhado de músicas nos seis quartos. No meu, em volume mais alto, distingui a voz cálida de dom Pedro Vargas, o Tenor da América, num bolero de Miguel Matamoros. Senti que ia morrer. Empurrei a porta com a respiração desbaratada e vi Delgadina na cama como em minhas recordações: nua e dormindo na santa paz do lado do coração.

Antes de me deitar arrumei a cômoda, pus o ventilador novo no lugar do enferrujado e dependurei o quadro num lugar onde ela pudesse ver da cama. Deitei-me ao seu lado e a reconheci palmo a palmo. Era a mesma que andava pela minha casa: as mesmas mãos que me reconheciam às apalpadelas na escuridão, os mesmos pés de passos tênues que se confundiam com os do gato, o mesmo cheiro do suor de meus lençóis, o dedo do dedal. Incrível: vendo-a e tocando-a em carne e osso, me parecia menos real que em minhas lembranças.

Tem um quadro na parede aí em frente, disse a ela. Quem pintou foi o *Figurita*, um homem de quem nós gostávamos muito, o melhor bailarino de bordel que jamais existiu, e de coração tão bom que tinha pena do diabo. Ele pintou esse quadro com verniz de barcos na tela chamuscada de um avião que se espatifou na Sierra Nevada de Santa Marta e com pincéis que ele mesmo fabricava com pelos do seu cachorro. A mulher pintada é uma monja que ele sequestrou de um convento e com quem se casou. Vou deixá-lo aqui, para que seja a primeira coisa que você veja ao despertar.

Não havia mudado de posição quando apaguei a luz, à uma da madrugada, e sua respiração era tão tênue que tomei seu pulso para senti-la viva. O sangue circulava por suas veias com a fluidez de uma canção que se ramificava até os âmbitos mais recônditos de seu corpo e voltava ao coração purificado pelo amor.

Antes de ir embora ao amanhecer, desenhei num papel as linhas da sua mão e dei para Diva Sahibí ler e conhecer sua alma. E ela disse assim: É uma pessoa que só diz o que pensa. É perfeita para trabalhos manuais. Tem contato com alguém que já morreu e de quem espera ajuda, mas está enganada: a ajuda que procura está ao alcance de sua mão. Não teve nenhuma união, mas vai morrer mais velha e casada. Agora tem um homem moreno, que não haverá de ser o da sua vida. Pode ter oito filhos, mas vai se decidir por apenas três. Aos trinta e cinco anos, se fizer o que o coração mandar, e não a mente, vai lidar com muito dinheiro, e aos quarenta vai receber uma herança. Vai viajar muito. Tem vida dupla e dupla sorte, e pode influir em seu próprio destino. Gosta de provar de tudo, por curiosidade, mas vai se arrepender se não se orientar pelo coração.

Atormentado de amor, mandei consertar os estragos da borrasca e aproveitei para providenciar muitos outros remendos que eu vinha prorrogando fazia anos por insolvência ou por indolência. Reorganizei a biblioteca, na ordem em que os livros tinham sido lidos. No fim me livrei da pianola como se fosse relíquia histórica, com seus mais de cem rolos de clássicos, e comprei um toca-discos usado mas melhor que o meu, com alto-falantes de alta fidelidade que aumentaram o ambiente da casa. Fiquei à beira da ruína mas bem compensado pelo milagre de estar vivo na minha idade.

A casa renascia de suas cinzas e eu navegava no amor de Delgadina com uma intensidade e uma felicidade que jamais conheci em minha vida anterior. Graças a ela enfrentei pela primeira vez meu ser natural enquanto transcorriam meus noventa anos. Descobri que minha obsessão por cada coisa em seu lugar, cada assunto em seu tempo, cada palavra em seu estilo, não era o prêmio merecido de uma mente em ordem, mas, pelo contrário, todo um sistema de simulação inventado por mim para ocultar a desordem da minha natureza. Descobri que não sou disciplinado por virtude, e sim como reação contra a minha negligência; que pareço generoso para encobrir minha mesquinhez, que me faço passar por prudente quando na verdade sou desconfiado e sempre penso o pior, que sou conciliador para não sucumbir às minhas cóleras reprimidas, que só sou pontual para que ninguém saiba como pouco me importa o tempo alheio. Descobri, enfim, que o amor não é um estado da alma e sim um signo do zodíaco.

Virei outro. Tratei de reler os clássicos que me mandaram ler na adolescência, e não aguentei. Mergulhei nas letras românticas que tanto repudiei quando minha mãe quis me forçar a ler e gostar, e através delas tomei consciência de que a força invencível que impulsionou o mundo não foram os amores felizes e sim os contrariados. Quando meus gostos musicais entraram em crise me descobri atrasado e velho, e abri meu coração às delícias do acaso.

Me pergunto como pude sucumbir nesta vertigem perpétua que eu mesmo provocava e temia. Flutuava entre nuvens erráticas e falava sozinho diante do espelho com a vã ilusão de averiguar quem sou. Era tal meu desvario, que em uma manifestação estudantil com pedras e garrafas tive que buscar forças na fraqueza para não me colocar na frente de todos com um letreiro que consagrasse minha verdade: *Estou louco de amor.*

Obnubilado pela evocação inclemente de Delgadina adormecida, mudei sem a menor malícia o espírito de minhas crônicas dominicais. Fosse qual fosse o assunto as escrevia para ela, nelas ria e chorava para ela, e em cada palavra se ia a minha vida. No lugar da fórmula de folhetim tradicional que as crônicas tiveram desde sempre, as escrevi como cartas de amor que cada um podia tornar suas. Propus no jornal que o texto não fosse levado às linotipos mas publicado com minha caligrafia florentina. O chefe de redação, é claro, achou que era outro acesso de vaidade senil, mas o diretor geral o convenceu com uma frase que até hoje continua solta pela redação:

— Não se engane: os loucos mansos se antecipam ao porvir.

A resposta pública foi imediata e entusiasta, com numerosas cartas de leitores apaixonados. Algumas eram lidas nos noticiários de rádio com urgência de última hora, e foram feitas cópias em mimeógrafo ou papel carbono, que eram vendidas como cigarros de contrabando nas esquinas da rua San Blas. Desde o começo foi evidente que obedeciam às ânsias de expressar-me, mas me acostumei a levar em conta essa ansiedade ao escrever, e sempre com a voz de um homem de noventa anos que não aprendeu a pensar como velho. A comunidade intelectual, como de hábito, mostrou-se timorata e dividida, e até os grafólogos menos esperados montaram controvérsias pelas análises erráticas da minha caligrafia. Foram eles os que dividiram os ânimos, reaqueceram a polêmica e puseram a nostalgia na moda.

Antes do fim do ano eu tinha combinado com Rosa Cabarcas para deixar no quarto a ventoinha, apetrechos e utensílios de toucador e tudo que eu levasse dali em diante para torná-lo mais vivível. Chegava às dez, sempre com alguma coisa nova para ela, ou para dar gosto a nós dois, e dedicava uns minutos tirando a parafernália escondida para armar o teatro das nossas noites. Antes de ir embora, nunca depois das cinco, tornava a trancar tudo à chave. A alcova então ficava tão esquálida como havia sido em suas origens para os amores tristes dos clientes casuais. Certa manhã ouvi que Marcos Pérez, a voz mais ouvida do rádio desde o amanhecer, havia decidido ler minha crônica dominical em seus noticiários das segundas-feiras. Quando consegui reprimir a náusea disse assustado: Fique sabendo, Delgadina, a fama é uma senhora muito gorda que não dorme com a gente, mas quando a gente desperta ela está sempre olhando para nós, aos pés da cama.

Num daqueles dias fiquei para tomar o café da manhã com Rosa Cabarcas, que começava a me parecer menos decrépita apesar do luto severo e do boné negro que já cobria suas sobrancelhas. Seus cafés da manhã tinham a fama de ser esplêndidos, com uma carga de pimenta que me fazia chorar.

No primeiro bocado daquele fogo vivo disse a ela, banhado em lágrimas: Esta noite não vou precisar da lua cheia para que meu rabo arda. Não se queixe, respondeu ela. Se arder é porque você ainda tem rabo, graças a Deus.

Surpreendeu-se quando mencionei o nome de Delgadina. Ela não se chama assim, disse, ela se chama. Não me conte, interrompi, para mim é Delgadina. Ela sacudiu os ombros: Bem, afinal de contas é sua, mas acho que parece nome de diurético. Contei a história da frase do tigre que a menina tinha escrito no espelho. Não pode ter sido ela, disse Rosa, porque não sabe ler nem escrever. Então, quem? Ela sacudiu os ombros: Pode ser alguém que morreu nesse quarto.

Eu aproveitava aqueles cafés da manhã para desabafar com Rosa Cabarcas e pedia favores mínimos para o bem-estar e o bem se ver de Delgadina. Ela concedia tudo sem pensar, com uma picardia de colegial. Que piada!, me disse num daqueles dias. Eu me sinto como se você estivesse me pedindo a mão dela. E a propósito, acrescentou como se estivesse tendo a ideia naquele exato instante, por que não se casa com ela? Fiquei mudo. De verdade, insistiu, vai sair mais barato. Afinal, o problema na sua idade é servir ou não servir, mas você já me disse que esse assunto está resolvido. Atropelei: O sexo é o consolo que a gente tem quando o amor não nos alcança.

Ela soltou o riso: Ai, meu sábio, sempre soube que você é muito macho, que sempre foi, e me alegra que continue sendo enquanto seus inimigos entregam as armas. Com razão se fala tanto de você. Você ouviu Marcos Pérez? Todo mundo ouve, respondi, para cortar o assunto. Mas ela insistiu: Também o professor Camacho y Cano, em *La hora de todo un poco*, disse ontem que o mundo já não é o que era porque não sobram muitos homens como você.

Naquele fim de semana encontrei Delgadina com febre e com tosse. Despertei Rosa Cabarcas para que me desse algum remédio caseiro, e ela levou até o quarto uma caixinha de primeiros socorros. Dois dias depois Delgadina continuava prostrada e não tinha conseguido voltar à sua rotina de pregar botões. O médico havia receitado um tratamento caseiro para uma gripe comum que cederia em uma semana, mas se alarmou com seu estado geral de desnutrição.

Deixei de vê-la, e senti que me fazia falta, e aproveitei para arrumar o quarto sem ela.

Levei também um desenho que Cecilia Porras havia feito para *Todos estábamos a la espera*, o livro de contos de Álvaro Cepeda. Levei os seis volumes de *Juan Cristóbal*, de Romain Rolland, para pastorear minhas vigílias. E assim, quando Delgadina pôde voltar ao quarto encontrou-o digno de uma felicidade sedentária: o ar purificado com um inseticida aromático, paredes cor-de-rosa, lâmpadas suaves, flores novas nos floreiros, meus livros favoritos, os bons quadros de minha mãe dependurados de outro modo, seguindo os gostos de hoje. Havia mudado o velho rádio por um de ondas curtas que mantinha sintonizado num programa de música culta, para que Delgadina aprendesse a dormir com os quartetos de Mozart, mas uma noite encontrei-o numa estação especializada em boleros da moda. Era o gosto dela, sem dúvida, e o assumi sem dor, pois em meus melhores dias eu também havia cultivado os boleros com o coração. Antes de voltar para casa no dia seguinte escrevi no espelho com o batom: *Minha menina, estamos sozinhos no mundo.*

Naquela época tive a estranha impressão de que ela estava envelhecendo antes do tempo. Comentei com Rosa Cabarcas, que achou que era natural. Faz quinze anos no dia cinco de dezembro, disse. Uma Sagitário perfeita. E me inquietou o fato de ela ser tão real a ponto de fazer aniversário. O que eu poderia dar de presente? Uma bicicleta, disse Rosa Cabarcas. Ela tem que atravessar a cidade duas vezes por dia para ir pregar botões. Mostrou-me nos fundos do armazém a bicicleta que Delgadina usava, e de verdade me pareceu um ferro-velho indigno de uma mulher tão bem-amada. No entanto me comoveu como prova tangível de que Delgadina existia na vida real.

Quando fui comprar a melhor bicicleta não consegui resistir à tentação de experimentá-la e dei algumas voltas a esmo na rampa da loja. Ao vendedor que me perguntou a minha idade respondi com a graça da velhice: Vou fazer noventa e um. O empregado disse exatamente o que eu queria: Pois parece vinte a menos. Eu mesmo não entendia como havia conservado aquela prática do colégio, e me senti sufocado por um gozo radiante. Comecei a cantar. Primeiro para mim mesmo, em voz baixa, e depois a todo vapor, com ares do grande Caruso, pelo meio dos bazares atopetados e o tráfego demente do mercado público. As pessoas me olhavam, divertidas, e gritavam para mim, me incitavam a participar na Volta da Colômbia em cadeira de rodas. Eu lhes fazia com a mão uma saudação de navegante feliz sem interromper a canção. Naquela semana, em homenagem a dezembro, escrevi outra crônica atrevida: *Como ser feliz aos noventa anos em uma bicicleta.*

Na noite de seu aniversário cantei para Delgadina a canção completa e beijei-a por todo o corpo até ficar sem respiração: a espinha dorsal, vértebra por vértebra, até as nádegas lânguidas, o lado da pinta, o de seu coração inesgotável. À medida que a beijava aumentava o calor de seu corpo e ela exalava uma fragrância de montanha. Ela me respondeu com vibrações novas em cada polegada de sua pele, e em cada uma encontrei um calor diferente, um sabor próprio, um gemido novo, e ela inteira ressoou por dentro com um arpejo, e seus mamilos se abriram em flor sem ser tocados. Começava a adormecer na madrugada quando senti como um rumor de multidões no mar e um pânico das árvores que me atravessaram o coração. Então fui até o banheiro e escrevi no espelho: *Delgadina da minha vida, chegaram as brisas do Natal.*

Uma de minhas lembranças mais felizes é o transtorno que senti certa manhã como aquela, ao sair da escola. O que está acontecendo comigo? A professora me disse aparvalhada: Ai, menino, não está vendo que são as brisas? Oitenta anos depois tornei a sentir tudo de novo quando despertei na cama de Delgadina, e era o mesmo dezembro que voltava pontual com seus céus diáfanos, as tormentas de areia, os torvelinhos da rua que destelhavam casas e erguiam as saias das colegiais. A cidade adquiria então uma ressonância fantasmagórica. Em noites de brisa podia-se escutar os gritos do mercado público até nos bairros mais altos, como se estivessem logo ali, na esquina. Não era estranho então que as rajadas de dezembro nos permitissem encontrar por suas vozes os amigos espalhados nos bordéis remotos.

No entanto, com as brisas me chegou a má notícia de que Delgadina não ia passar o Natal comigo, mas com sua família. Se tem uma coisa que detesto nesse mundo são as festas obrigatórias em que as pessoas choram porque estão alegres, os fogos de artifício, as musiquinhas chochas, as grinaldas de papel de seda que não têm nada a ver com um menino que nasceu há dois mil anos num estábulo indigente. E, ainda assim, quando chegou a noite não consegui aguentar a nostalgia e fui para o quarto sem ela. Dormi bem, despertei ao lado de um urso de pelúcia que caminhava em duas patas como se fosse polar, e um cartãozinho que dizia: *Para o papai feio.* Rosa Cabarcas tinha me dito que Delgadina estava aprendendo a ler com minhas aulas escritas no espelho, e sua boa letra me pareceu admirável. Mas a própria Rosa me frustrou com a má notícia de que o urso era um presente dela mesma, e na noite de Ano-Novo fiquei na minha casa e na minha cama a partir das oito, e dormi sem amarguras. Fui feliz, porque ao toque das doze, entre o repicar furioso dos sinos, as sirenes das fábricas e dos bombeiros, os lamentos dos barcos, as descargas de pólvora, os foguetes, senti que Delgadina entrou na ponta dos pés, deitou-se ao meu lado e me deu um beijo. Foi tão real, que ficou na minha boca seu perfume de alcaçuz.

# 4

No começo do novo ano a gente já se conhecia como se vivêssemos juntos e acordados, pois eu havia encontrado um tom de voz cauteloso que ela ouvia sem despertar, e me respondia com uma linguagem natural do corpo. Seus estados de alma eram notados em seu modo de dormir. De exausta e assustada que tinha sido no começo, foi fazendo-se de uma paz interior que embelezava seu rosto e enriquecia seu sono. Eu contava a minha vida, lia em seu ouvido os rascunhos de minhas crônicas dominicais em que, sem que eu dissesse, aparecia ela, e somente ela.

Naquela época deixei para ela no travesseiro uns brincos pendentes de esmeraldas que foram de minha mãe. Usou-os no encontro seguinte, mas não ficaram bem. Levei depois uns brincos mais adequados para a cor de sua pele. Expliquei: Os primeiros que trouxe não ficavam bem em você por causa do seu tipo e pelo corte de seu cabelo. Estes ficarão melhor. Não usou nenhum deles nos dois encontros seguintes, mas no terceiro pôs os que eu havia indicado. Assim comecei a entender que não obedecia às minhas ordens, mas aguardava a ocasião para me agradar. Naqueles dias me senti tão habituado com aquele gênero de vida doméstica, que não continuei dormindo nu, mas levei o pijama de seda chinesa que havia deixado de usar por não ter para quem tirar.

Comecei a ler para ela *O pequeno príncipe* de Saint-Exupéry, um autor francês que o mundo inteiro admira mais que os franceses. Foi o primeiro que a distraiu sem despertá-la, a ponto de eu precisar ir até lá dois dias seguidos para acabar de lê-lo. Continuamos com os *Contos* de Perrault, a *História sagrada*, *As mil e uma noites* numa versão desinfetada para crianças, e pelas diferenças entre um e outro percebi que seu sono tinha diversos graus de profundidade segundo seu interesse pelas leituras. Quando sentia que havia tocado o fundo apagava a luz e adormecia abraçado a ela até os galos cantarem.

Eu me sentia tão feliz que beijava suas pálpebras, muito suave, e uma noite aconteceu como uma luz no céu: ela sorriu pela primeira vez. Mais tarde, sem nenhum motivo, se revolveu na cama, me deu as costas, e disse com desgosto: Foi Isabel quem fez os caracóis chorar. Exaltado pela ilusão de um diálogo, perguntei no mesmo tom: E de quem eram? Não respondeu. Sua voz tinha um rastro plebeu, como se não fosse dela e sim de alguém alheio que levasse dentro. Toda sombra de dúvida desapareceu então da minha alma: eu a preferia adormecida.

Meu único problema era o gato. Estava inapetente e irritadiço e fazia dois dias que não levantava a cabeça em seu canto habitual, e me lançou uma garra de fera ferida quando quis colocá-lo em sua cesta de vime para que Damiana o levasse ao veterinário. Mal conseguiu dominá-lo, e ela acabou levando o bicho se remexendo inteiro dentro de um saco de estopa. Logo depois me telefonou do depósito municipal para dizer que não havia outro remédio a não ser sacrificá-lo, e que precisavam da minha autorização. Por quê? Porque já está muito velho, disse Damiana. Pensei com raiva que também podiam muito bem me assar vivo num forno de gatos. Senti-me inerme entre dois fogos: não havia aprendido a gostar do gato, mas tampouco tinha coração para ordenar que o matassem só porque estava velho. Em que parte o manual dizia isso?

O incidente me abalou tanto que escrevi uma crônica para o domingo com um título usurpado de Neruda: *Será um gato um tigre mínimo de salão?* A crônica deu origem a uma nova campanha que outra vez dividiu os leitores a favor ou contra os gatos. Em cinco dias prevaleceu a tese de que podia ser lícito sacrificar um gato por motivos ae saúde pública, mas não porque estivesse velho.

Depois da morte de minha mãe eu me desvelava de pavor de que alguém tocasse em mim enquanto eu estivesse dormindo. Uma noite a senti, mas sua voz me devolveu o sossego: *Figlio mio poveretto.* Tornei a sentir a mesma coisa certa madrugada no quarto de Delgadina, e me retorci de gozo achando que ela tinha tocado em mim. Mas não: era Rosa Cabarcas na escuridão. Vista-se e venha comigo, disse ela, estou com um problema sério.

Era mesmo, e mais sério do que eu poderia imaginar Um dos grandes clientes da casa tinha sido assassinado a punhaladas no primeiro quarto do galpão. O assassino tinha escapado. O cadáver enorme, nu, mas de sapatos, tinha uma palidez de frango fervido a vapor na cama empapada de sangue. Reconheci de saída: era J.M.B., um banqueiro graúdo, famoso por seu garbo, sua simpatia e seu bem-vestir, e sobretudo pela pulcritude de seu lar. Tinha no pescoço duas feridas cor de amora como lábios e um talho no ventre que não havia acabado de sangrar. Ainda não começara a enrijecer. Mais que suas feridas, me impressionou por ter no sexo mirrado pela morte um preservativo que parecia não ter sido usado.

Rosa Cabarcas não sabia com quem estava, porque ele também tinha o privilégio de entrar pelo portão do pomar. Não se descartava a suspeita de que seu par fosse outro homem. A única coisa que a dona queria de mim era que ajudasse a vestir o cadáver. Estava tão segura, que me inquietou a ideia de que a morte fosse para ela um assunto banal. Não há nada mais difícil que vestir um morto, eu disse a ela. Faço isso a torto e a direito, respondeu ela. É fácil se tiver alguém que segure para mim. Fiz com que ela lembrasse de um detalhe: Você imagina que alguém vai acreditar num corpo retalhado a navalhadas dentro de uma roupa intacta de cavalheiro inglês?

Tremi por Delgadina. A melhor coisa é que você mesmo a leve embora, me disse Rosa Cabarcas. Primeiro o morto, disse a ela com a saliva gelada. Ela percebeu e não conseguiu ocultar o desdém: Você está tremendo! Por ela, respondi, embora fosse apenas meia-verdade. Avise a ela que saia daqui antes que chegue alguém. Está bem, disse ela, embora não vá acontecer nada com você, que é jornalista. Nem com você, respondi com certo rancor. Você é a única pessoa do Partido Liberal que manda nesse governo.

A cidade, apreciada pela sua natureza pacífica e sua segurança congênita, arrastava a desgraça de um assassinato escandaloso e atroz a cada ano. Aquele, não. A notícia oficial com manchetes excessivas e parca em detalhes dizia que o jovem banqueiro tinha sido assaltado e morto a navalhadas na estrada de Pradomar por motivos incompreensíveis. Não tinha inimigos. O comunicado do governo apontava como supostos assassinos certamente alguns dos refugiados que vinham do interior do país, e que estavam desatando uma onda de delinquência comum estranha ao espírito cívico da população. Nas primeiras horas houve mais de cinquenta detidos.

Acudi escandalizado até o repórter policial, um jornalista típico dos anos vinte, com boné de viseira de celuloide verde e ligas nas mangas, que se gabava de antecipar-se aos fatos. No entanto ele só conhecia uns fios soltos da história daquele crime, e eu os completei até onde me foi prudente. Assim escrevemos cinco laudas a quatro mãos para uma notícia de oito colunas na primeira página atribuída ao fantasma eterno das fontes que merecem nosso crédito integral. Mas o *Abominável Homem das Nove* — o censor — não sofreu um único tremor de pulso para impor a versão oficial de que havia sido um assalto feito pelos bandoleiros ligados ao Partido Liberal. Eu salvei minha consciência com um semblante contrito no enterro mais cínico e concorrido do século.

Quando voltei para casa naquela noite telefonei para Rosa Cabarcas para averiguar o que havia acontecido com Delgadina, mas ela não atendeu durante quatro dias. No quinto fui até a casa dela, com os dentes apertados. As portas estavam lacradas, e não pela polícia, mas pela saúde pública. Ninguém na vizinhança dava notícia alguma. Sem nenhum indício de Delgadina, me lancei numa busca alucinada e às vezes ridícula que me deixou ofegante. Passei dias inteiros observando, dos bancos de um parque poeirento onde as crianças brincavam de trepar na estátua desbotada de Simón Bolívar, as jovens ciclistas. Passavam pedalando como gazelas; belas, disponíveis, prontas para serem agarradas como galinhas cegas. Quando minha esperança acabou me refugiei na paz dos boleros. Foi como uma beberagem peçonhenta: cada palavra era ela. Eu sempre havia precisado de silêncio para escrever porque minha mente atendia mais à música que à escrita. E então aconteceu o contrário: só conseguia escrever à sombra dos boleros. Minha vida encheu-se dela. As crônicas que escrevi naquelas duas semanas foram modelos em código para cartas de amor. O chefe da redação, contrariado com a avalanche de respostas, me pediu que moderasse o amor enquanto pensávamos num jeito de consolar tantos leitores apaixonados.

A falta de sossego acabou com o rigor dos meus dias. Acordava às cinco, mas ficava na penumbra do quarto imaginando Delgadina em sua vida irreal de acordar os irmãos, vesti-los para a escola, servir o café da manhã, se houvesse o que pôr na mesa, e atravessar a cidade de bicicleta para cumprir a pena de pregar botões. E me perguntei assombrado: Em que pensa uma mulher enquanto prega um botão? Pensava em mim? Ela também procurava Rosa Cabarcas para me achar? Passei uma semana inteira sem tirar o macacão de mecânico nem de dia nem de noite, sem tomar banho, sem fazer a barba, sem escovar os dentes, porque o amor me mostrou tarde demais que a gente se arruma para alguém, se veste e se perfuma para alguém, e eu nunca tinha tido para quem. Damiana achou que eu estava doente quando me encontrou nu na rede às dez da manhã. A vi com os olhos turvos da cobiça e convidei-a a se revirar nua comigo. Ela, com desprezo, me respondeu:

— E já pensou no que vai fazer se eu disser que sim?

Então compreendi até que ponto o sofrimento havia me corrompido. Não me reconhecia na minha dor de adolescente. Não tornei a sair de casa para não descuidar do telefone. Escrevia sem desligá-lo, e no primeiro toque pulava em cima dele pensando que poderia ser Rosa Cabarcas. Interrompia a cada tanto o que estivesse fazendo para ligar para ela, e insisti dias inteiros até compreender que aquele telefone não tinha coração.

Ao voltar para casa numa tarde de chuva encontrei o gato enroscado na escadaria do portão. Estava sujo e maltratado, e numa mansidão de dar dó. O manual me mostrou que estava doente e segui as normas para animá-lo. De repente, enquanto cabeceava um soninho de sesta, me despertou a ideia de que o gato poderia me conduzir até a casa de Delgadina. Levei-o num cesto de mercado até o armazém de Rosa Cabarcas, que continuava lacrado e sem indícios de vida, mas o gato se revolveu no balaio com tamanho ímpeto que conseguiu escapar, saltou a cerca do pomar e desapareceu no meio das árvores. Bati no portão com o punho fechado, e uma voz militar perguntou sem abrir: Quem vem lá? Gente de paz, disse eu para não ficar para trás. Ando buscando a dona. Aqui não existe dona, disse a voz. Pelo menos, abre o portão para que eu apanhe meu gato, insisti. Não tem gato nenhum, disse a voz. Perguntei: E o senhor, quem é?

— Ninguém — disse a voz.

Havia achado, sempre, que morrer de amor não era outra coisa além de uma licença poética. Naquela tarde, de regresso para casa outra vez, sem o gato e sem ela, comprovei que não apenas era possível, mas que eu mesmo, velho e sem ninguém, estava morrendo de amor. E também percebi que era válida a verdade contrária: não trocaria por nada neste mundo as delícias do meu desassossego. Havia perdido mais de quinze anos tratando de traduzir os cantos de Leopardi, e só naquela tarde os senti a fundo: *Ai de mim, se for amor, como atormenta.*

Minha entrada no jornal, de macacão e mal barbeado, despertou certas dúvidas sobre meu estado mental. O prédio reformado, com cabines individuais de vidro e luzes no teto, parecia berçário. O clima artificial silencioso e confortável convidava a falar em sussurros e a caminhar na ponta dos pés. No vestíbulo, como vice-reis mortos, estavam os retratos a óleo dos três diretores vitalícios e as fotografias dos visitantes ilustres. A enorme sala principal estava presidida pela fotografia gigantesca da redação atual, feita na tarde do meu aniversário. Não consegui evitar a comparação mental com a outra, dos meus trinta anos, e uma vez mais comprovei com horror que se envelhece mais e pior nos retratos que na realidade. A secretária que tinha me beijado na tarde do meu aniversário perguntou se eu estava doente. Fiquei feliz ao contar a verdade, para que ela não acreditasse: Doente de amor. Ela disse: Que pena que não seja por mim! Respondi ao galanteio: Não tenha tanta certeza.

O repórter policial saiu de sua cabine gritando que havia dois cadáveres de moças sem identificação no anfiteatro municipal. Perguntei assustado: De que idade? Jovens, disse ele. Podem ser refugiadas do interior perseguidas até aqui pelos matadores do regime. Respirei aliviado. A situação nos invade em silêncio como uma mancha de sangue, disse eu. O repórter policial, já longe, gritou:

— De sangue, não, professor, de merda.

Algo pior me aconteceu dias depois, quando uma moça instantânea com uma canastra igual à do gato passou feito um calafrio na frente da livraria Mundo. A persegui a cotoveladas no meio da multidão no fragor do meio-dia. Era muito bela, de passadas com tamanha fluidez para abrir caminho no meio da multidão que me deu trabalho alcançá-la. Finalmente a ultrapassei e olhei-a de frente. Ela me afastou com as mãos sem se deter e sem pedir desculpas. Não era quem eu achava que fosse, mas sua altivez doeu em mim como se fosse. Compreendi então que não seria capaz de reconhecer Delgadina acordada e vestida, nem ela podia saber quem eu era, já que nunca tinha me visto. Num ato de loucura teci durante três dias doze pares de sapatinhos azuis e rosados de recém--nascidos, tratando de me dar coragem para não escutar, nem cantar, nem lembrar das canções que me faziam lembrar dela.

A verdade é que eu não aguentava minha alma e começava a tomar consciência da velhice pelas minhas fraquezas diante do amor. Tive uma prova ainda mais dramática quando um ônibus de serviço público atropelou uma ciclista em pleno centro comercial da cidade. Acabavam de levá-la numa ambulância e a magnitude da tragédia era notada pelo estado de ferro velho em que ficou a bicicleta sobre um charco de sangue vivo. Mas minha impressão não foi tanto pelos destroços da bicicleta e sim por causa da marca, do modelo e da cor. Não podia ser outra além da que eu mesmo havia dado de presente a Delgadina.

As testemunhas coincidiram em dizer que a ciclista ferida era muito jovem, alta e magra, e com o cabelo curto e cacheado. Atordoado, peguei o primeiro táxi que passou e fiz com que me levasse ao hospital de Caridade, um velho edifício de paredes ocre que parecia um cárcere encalhado num areal. Precisei de meia hora para entrar, e outra mais para sair ao pátio fragrante das árvores frutíferas onde uma mulher atribulada atravessou o meu caminho, olhou-me nos olhos e exclamou:

— Eu sou quem você não procura.

Só então recordei que era ali que viviam em liberdade os internos mansos do manicômio municipal. Tive que me identificar como jornalista na direção do hospital para que um enfermeiro me levasse ao pavilhão de emergências. No livro de registros estavam os dados: Rosalba Ríos, dezesseis anos, sem ofício conhecido. Diagnóstico: comoção cerebral. Prognóstico: reservado. Perguntei ao chefe do pavilhão de emergências se podia vê-la, com a esperança íntima de que me dissessem que não, mas me levaram encantados pela possibilidade de eu querer escrever sobre o estado de abandono do hospital.

Atravessamos uma ala atopetada de gente e com um forte odor de fenol e os doentes amontoados nas camas. Nos fundos, num quarto solitário, estendida em uma maca metálica, estava a moça que procurávamos. Tinha o crânio coberto de ataduras, a cara indecifrável, inchada e arroxeada, mas bastou ver seus pés para saber que não era ela. Só então me ocorreu perguntar a mim mesmo: O que você teria feito se fosse ela?

Ainda enredado nas teias de aranha da noite tive coragem de ir no dia seguinte à fábrica de camisas onde Rosa Cabarcas havia dito uma vez que a menina trabalhava e pedi ao proprietário que me mostrasse as instalações para servir de modelo para um projeto continental das Nações Unidas. Era um libanês paquidérmico e taciturno, que nos abriu as portas de seu reino com a ilusão de ser um exemplo universal.

Trezentas jovens de blusas brancas com a cruz de cinzas da quarta-feira na testa pregavam botões na vasta nave iluminada. Quando nos viram entrar ergueram-se como colegiais e nos observaram de viés enquanto o gerente explicava suas contribuições para a arte imemorial de pregar botões. Eu examinava as caras de cada uma, com o pavor de descobrir Delgadina vestida e acordada. Mas foi uma delas que me descobriu com o olhar temível da admiração sem clemência:

— Diga uma coisa, senhor: não é o senhor que escreve cartas de amor no jornal?

Nunca teria imaginado que uma menina adormecida pudesse causar na gente tamanhos estragos. Escapei da fábrica sem me despedir e sem ao menos pensar se alguma daquelas virgens de purgatório era enfim a que eu procurava. Quando saí de lá, o único sentimento que me restava na vida era a vontade de chorar.

Rosa Cabarcas ligou para mim depois de um mês, com uma explicação inacreditável: tinha tido um merecido descanso em Cartagena de Índias, depois do assassinato do banqueiro. Não acreditei, é claro, mas cumprimentei-a pela sua sorte e deixei que se estendesse em sua mentira antes de fazer a ela a pergunta que borbulhava em meu coração:

— E ela?

Rosa Cabarcas fez um longo silêncio. Está por aí, disse enfim, mas sua voz se fez evasiva: É preciso esperar um tempo. Quanto? Não tenho nem ideia, eu aviso. Senti que ela ia escapar, e parei-a de chofre: Espere aí, me dê alguma pista. Não tem pista nenhuma, disse ela, e concluiu: Tome cuidado, você pode se prejudicar, e principalmente prejudicar a menina. Eu não estava para esse tipo de manha. Supliquei nem que fosse uma oportunidade para me aproximar da verdade. Afinal de contas, falei, somos cúmplices. Ela não deu nenhum passo a mais. Calma, me disse, a menina está bem e esperando que você a chame, mas agora mesmo não há nada que se possa fazer, nem vou dizer mais nada. Adeus.

Fiquei com o telefone na mão sem saber por onde continuar, pois também a conhecia o suficiente para saber que não conseguiria nada dela se não fosse por bem. Depois do meio-dia dei uma volta furtiva pela sua casa, mais confiado na casualidade que na razão, e encontrei-a ainda fechada e com os lacres da Saúde Pública. Pensei que Rosa Cabarcas devia ter me telefonado de algum outro lugar, talvez de outra cidade, e essa ideia me encheu de presságios turvos. Não obstante, às seis da tarde, e quando eu menos esperava, ela me largou pelo telefone meu próprio código:

— Bom, agora sim.

Às dez da noite, trêmulo e com os lábios mordidos para não chorar, cheguei carregado de caixas de chocolates suíços, torrones e caramelos, e uma cesta de rosas ardentes para cobrir a cama. A porta estava entreaberta, as luzes acesas e no rádio se diluía a meio volume a sonata número um para violino e piano de Brahms. Delgadina estava na cama, tão radiante e diferente, que me deu trabalho reconhecê-la.

Havia crescido, mas não se notava em sua estatura e sim na maturidade intensa que fazia com que parecesse ter dois ou três anos a mais, e mais nua que nunca. Seus pômulos altos, a pele tostada pelos sóis do mar bravio, os lábios finos e o cabelo curto e cacheado infundiam em seu rosto o resplendor andrógino do *Apolo* de Praxíteles. Mas não havia engano possível, porque seus seios haviam crescido a ponto de não caberem mais em minha mão, suas cadeiras tinham acabado de se formar e seus ossos tinham ficado mais firmes e harmônicos. Me encantei com aqueles acertos da natureza, mas me atordoei com os artifícios: as pestanas postiças, as unhas das mãos e dos pés esmaltadas de madrepérola, e um perfume de dois tostões o galão que não tinha nada que ver com o amor. No entanto o que me tirou do sério foi a fortuna que ela usava: brincos de ouro com cachos de esmeraldas, um colar de pérolas naturais, uma pulseira de ouro com resplendores de diamantes e anéis com pedras legítimas em todos os dedos. Na cadeira estava seu traje de noturna com lantejoulas e bordados, e os sapatos de cetim. Um vapor estranho subiu de minhas entranhas.

— Puta! — gritei.

Pois o diabo soprou em meu ouvido um pensamento sinistro. E foi assim: na noite do crime Rosa Cabarcas não deve ter tido tempo nem serenidade para prevenir a menina, e a polícia a encontrou no quarto, sozinha, menor de idade e sem álibi. Ninguém como Rosa Cabarcas para uma situação como aquela: vendeu a virgindade da menina a algum de seus grandes figurões a troco de ficar fora do crime. A primeira providência, claro, foi desaparecer enquanto o escândalo durasse. Que maravilha! Uma lua de mel para três, eles dois na cama, e Rosa Cabarcas num terraço de luxo desfrutando de sua impunidade feliz. Cego de uma fúria insensata, fui arrebentando na parede cada coisa do quarto: as lâmpadas, o rádio, o ventilador, os espelhos, as jarras, os copos. Fiz tudo isso sem pressa, mas sem pausa, com um grande estropício e uma embriaguez metódica que me salvou a vida. A menina deu um salto na primeira explosão, mas não me olhou, enroscou-se de costas para mim, e assim permaneceu com espasmos entrecortados até que o cataclismo terminou. As galinhas no quintal e os cães da madrugada aumentaram o escândalo. Com a enlouquecedora lucidez da cólera tive a inspiração final de botar fogo na casa, justo quando apareceu na porta a figura impassível de Rosa Cabarcas na sua camisola de dormir. Não disse nada. Fez com os olhos o inventário do desastre e comprovou que a menina estava enroscada sobre si mesma como um caracol e com a cabeça escondida entre os braços: apavorada mas intacta.

— Meu Deus! — exclamou Rosa Cabarcas. — O que eu não daria por um amor como este!

Mediu-me de corpo inteiro com um olhar de misericórdia e ordenou: Vamos. Segui-a até a casa, me serviu um copo de água em silêncio, me fez um sinal para que eu me sentasse na sua frente e me deixou de castigo. Bem, disse, agora porte-se como um adulto, e me conte: o que está acontecendo?

Contei o que achava que era minha verdade revelada. Rosa Cabarcas escutou-me em silêncio, sem assombro, e no fim pareceu iluminada. Que maravilha, disse ela. Sempre disse que os ciúmes sabem mais que a verdade. E então me contou sua realidade sem reservas. Com efeito, disse, na confusão da noite do crime, tinha esquecido a menina dormindo no quarto. Um de seus clientes, que além do mais era advogado do morto, repartiu prebendas e subornos a quatro mãos, e convidou Rosa Cabarcas para um hotel de repouso em Cartagena de Índias, enquanto se dissipava o escândalo. Creia, disse Rosa Cabarcas, que nesse tempo todo não deixei de pensar um só momento em você e na menina. Voltei anteontem e a primeira coisa que fiz foi telefonar para você, mas ninguém atendeu. Já a menina veio em seguida, mas em tão mau estado que dei um banho nela, vesti e mandei ao salão de beleza com a ordem de que a arrumassem como uma rainha. E você viu: perfeita. A roupa de luxo? São os vestidos que alugo às minhas pupilas mais pobres quando têm de dançar com os clientes. As joias? São minhas, disse: Basta tocá-las para ver que são diamantes de vidro e tachinhas de lata. Então, não me aborreça, concluiu: Anda, acorde a menina, peça perdão e tome conta dela de uma vez. Ninguém merece ser mais feliz do que vocês.

Fiz um esforço sobrenatural para acreditar nela, mas o amor pôde mais que a razão. Putas!, disse a ela, atormentado pelo fogo vivo que me abrasava as entranhas. Isso é o que vocês são!, gritei: Putas de merda! Não quero saber mais nada de você, nem de nenhuma outra bugra no mundo, e menos ainda quero saber dela. Fiz da porta um sinal de adeus para sempre. Rosa Cabarcas não titubeou.

— Vá com Deus — me disse com um gesto de tristeza, e voltou à vida real. — Seja como for, vou mandar a conta do desastre que você me aprontou no quarto.

# 5

Lendo *Os idos de março* encontrei uma frase sinistra que o autor atribui a Júlio César: *É impossível não acabar sendo do jeito que os outros acreditam que você é.* Não pude comprovar sua verdadeira origem na própria obra de Júlio César nem nas obras de seus biógrafos, de Suetônio a Carcopino, mas valeu a pena conhecê-la. Seu fatalismo aplicado ao curso da minha vida nos meses seguintes foi o que me fazia falta não apenas para escrever esta memória, mas para começá-la sem pudores com o amor de Delgadina.

Não tinha um instante de sossego, mal conseguia comer e perdi tanto peso que as calças não paravam na cintura. As dores erráticas estacionaram nos meus ossos, mudava de ânimo sem razão, eu passava as noites num estado de deslumbramento que não me permitia ler nem escutar música, e em compensação passava o dia dando cabeçadas por causa da sonolência sonsa que não servia para dormir.

O alívio me caiu do céu. No ônibus lotado de Loma Fresca uma vizinha de assento, que eu não havia visto subir, me sussurrou ao ouvido: Você ainda trepa? Era Casilda Armenta, um velho amor de cada três por dois que me havia suportado como cliente assíduo desde que era uma adolescente altiva. Uma vez aposentada, meio doente e sem um tostão, havia se casado com um hortelão chinês que lhe deu nome e apoio, e talvez um pouco de amor. Aos setenta e três anos tinha o peso de sempre, continuava bela e de gênio forte, e conservava intacto o desenfado de seu ofício.

Levou-me até a sua casa, uma horta de chineses numa colina da estrada que dava para o mar. Nos sentamos nas cadeiras de praia do terraço assombreado, entre samambaias e copas de flamboyants, e gaiolas de pássaros dependuradas no beiral. No sopé da colina viam-se os hortelões chineses com chapéus de cone semeando as hortaliças debaixo do sol abrasante, e a imensidão do mar acinzentado das Bocas de Ceniza com os dois quebra-mares de rochas que canalizam o rio várias léguas no mar. Enquanto conversávamos vimos entrar pela desembocadura um transatlântico branco e o seguimos calados até ouvir seu bramido de touro lúgubre no porto fluvial. Ela suspirou. Você está vendo só? Em mais de meio século é a primeira vez que recebo você de visita sem ser na minha cama. É que agora somos outros, respondi. Ela prosseguiu sem me ouvir: Cada vez que dizem coisas de você no rádio, que elogiam você pelo carinho das pessoas e chamam você de professor do amor, imagine só, penso que ninguém conheceu suas graças e suas manhas tão bem como eu. De verdade, disse ela, ninguém conseguiria aguentar você melhor que eu.

Não resisti mais. Ela sentiu, viu meus olhos úmidos de lágrimas, e só então deve ter descoberto que eu já não era o que fui e sustentei seu olhar com uma coragem da qual nunca me achei capaz. É que estou ficando velho, disse a ela. Já ficamos, suspirou ela. Acontece que a gente não sente por dentro, mas de fora todo mundo vê.

Era impossível não abrir o coração, e contei a ela a história completa que me ardia nas entranhas, desde meu primeiro telefonema a Rosa Cabarcas na véspera dos meus noventa anos, até a noite trágica em que destrocei o quarto e não voltei mais. Ela ouviu meu desabafo como se estivesse vivendo tudo aquilo, ruminou muito devagar, e enfim sorriu.

— Faça o que você quiser, mas não perca essa criança — disse. — Não há pior desgraça que morrer sozinho.

Fomos até Puerto Colombia no trenzinho de brinquedo vagaroso como um cavalo. Almoçamos na frente do cais de madeiras carcomidas por onde o mundo inteiro havia entrado no país antes que as Bocas de Ceniza fossem dragadas. Nos sentamos debaixo de um telhadinho de palha, onde as grandes matronas negras serviam pargos fritos com arroz de coco e fatias de banana verde. Dormitamos no torpor das duas da tarde e continuamos conversando até que o imenso sol de candeia afundou no mar. A realidade me parecia fantástica. Veja só aonde veio dar a nossa lua de mel, caçoou ela. Mas continuou, a sério: Hoje olho para trás, vejo a fila de milhares de homens que passaram pelas minhas camas, e daria a alma para ter ficado com um, mesmo que fosse o pior. Graças a Deus, encontrei meu chinês a tempo. É como ser casada com o dedo mindinho, mas é só meu.

Olhou-me nos olhos, mediu minha reação ao que acabava de me contar, e disse: Então, vá correndo procurar essa pobre criatura mesmo que seja verdade o que dizem os seus ciúmes, não importa, o que você viveu ninguém rouba. Mas, isso sim, sem romanticismos de avô. Acorde a menina, fode ela até pelas orelhas com essa pica de burro com que o diabo premiou você pela sua covardia e mesquinhez. De verdade, terminou ela com a alma: não vá morrer sem experimentar a maravilha de trepar com amor.

Minha mão tremia no dia seguinte quando disquei o número do telefone. Tanto pela tensão do reencontro com Delgadina, como pela incerteza da forma como Rosa Cabarcas me responderia. Havíamos tido uma briga séria pelo exagero com que ela taxou os destroços que fiz no quarto. Tive de vender um dos quadros mais amados da minha mãe, cujo valor era calculado numa fortuna, mas na hora da verdade não chegou a um décimo das minhas ilusões. Aumentei a soma com o resto de minhas economias e levei tudo a Rosa Cabarcas com uma determinação inapelável:

É pegar ou largar. Foi um ato suicida, porque só por vender um de meus segredos ela teria aniquilado meu bom nome. Mas não resmungou, e ficou com os quadros que havia tomado como caução na noite da briga. Fui o perdedor absoluto numa só jogada: fiquei sem Delgadina, sem Rosa Cabarcas e sem meus últimos tostões. No entanto ouvi o toque do telefone uma vez, duas vezes, três, e enfim ela: E aí? Minha voz não saiu. Desliguei. Me joguei na rede, tratando de me serenar com a lírica ascética de Satie, e suei tanto que o tecido da rede ficou empapado. Só tive coragem de tornar a ligar no dia seguinte.

— Muito bem, mulher — disse a ela com voz firme. — É hoje.

Rosa Cabarcas, é claro, estava além disso tudo. Ai, meu sábio triste, suspirou com seu espírito invencível, você perde dois meses e só volta para pedir ilusões. E me contou que não havia visto Delgadina fazia mais de um mês, que parecia tão reposta do susto de meus estragos que nem falou deles ou perguntou por mim, e que estava muito contente com seu novo emprego, mais cômodo e mais bem pago que pregar botões. Um vagalhão de fogo vivo me queimou as entranhas.

Só pode ser de puta, falei. Rosa me replicou sem pestanejar: Não seja idiota, se fosse puta estaria aqui. Onde poderia estar melhor? A rapidez da sua lógica agravou minha dúvida: Como posso saber que não está aí? Nesse caso, replicou ela, o que mais convém a você é não saber nada. Ou não? Uma vez mais, a odiei. Ela, à prova de erosões, prometeu rastrear a menina. Sem muitas esperanças, porque o telefone da vizinha para onde ligava continuava cortado e não tinha a menor ideia de onde a menina morava. Mas também não dá para morrer por causa disso, que merda, aguenta aí que eu ligo em uma hora.

Foi uma hora de três dias, mas encontrou a menina disponível e saudável. Voltei envergonhado, e a beijei palmo a palmo, como penitência, da meia-noite até que cantaram os galos. Um perdão longo que me prometi continuar repetindo para sempre e foi como começar outra vez do princípio. O quarto havia sido desmantelado, e o mau uso havia acabado com tudo que eu tinha posto ali. Ela o havia deixado daquele jeito, e me disse que qualquer melhora eu é que tinha de fazer, pelo que estava devendo. Acontece que minha situação econômica havia chegado ao fundo do poço. O dinheiro das aposentadorias dava para cada vez menos. As poucas coisas vendíveis que sobravam na casa — a não ser as joias sagradas de minha mãe — careciam de valor comercial e nada era suficientemente velho para ser antigo. Em tempos melhores, o governador tinha feito a oferta tentadora de me comprar em bloco os livros dos clássicos gregos, latinos e espanhóis para a Biblioteca Estadual, mas não tive coração para vendê-los. Depois, com as mudanças políticas e a deterioração do mundo, ninguém do governo pensava nas artes nem nas letras. Cansado de buscar uma solução decente, botei no bolso as joias que Delgadina tinha devolvido e fui empenhá-las num beco sinistro que levava ao mercado público. Com ar de sábio distraído percorri várias vezes aquele corticeiro lotado de botequins mortais, livrarias de segunda mão e casas de penhor, mas a dignidade de Florina de Dios trancou meus passos: não me atrevi. Então decidi vendê-las com a fronte erguida na joalheria mais antiga e respeitada.

O atendente me fez algumas perguntas enquanto examinava as joias com seu monóculo. Tinha a conduta, o estilo e o pavor de um médico. Expliquei que eram joias herdadas de minha mãe. Ele aprovava com um grunhido cada uma das minhas explicações e no fim tirou o monóculo.

— Sinto muito — disse —, mas são cacos de vidro.

Diante da minha surpresa, explicou com uma suave comiseração: Ainda bem que o ouro é ouro e a platina é platina. Toquei meu bolso para assegurar-me de que estava com as notas fiscais de compra, e disse a ele sem ressábios:

— Pois foram compradas aqui, nesta nobre casa, há mais de cem anos.

Ele não se alterou. Costuma acontecer, disse, que em joias hereditárias desapareçam as pedras mais valiosas com a passagem do tempo; substituídas por dissidentes da família, ou por joalheiros bandidos, e só quando alguém trata de vendê-las se descobre a fraude. Mas me permita um segundo, disse, e levou as joias pela porta dos fundos. Após uns momentos regressou e, sem explicação alguma, fez um sinal para que eu me sentasse na cadeira de espera, e continuou trabalhando.

Examinei a loja. Havia ido com minha mãe várias vezes e recordava uma frase corrente: *Não comente nada com seu pai.* De repente me ocorreu uma ideia que me arrepiou: Será que Rosa Cabarcas e Delgadina, de comum acordo, tinham vendido as pedras legítimas e me devolvido as joias com as pedras falsas?

Estava ardendo em dúvidas quando uma secretária me convidou a segui-la pela mesma porta dos fundos, até um escritório pequeno, com uma longa estante de volumes grossos. Um beduíno colossal levantou-se da escrivaninha do fundo e me apertou a mão tratando-me por você com uma efusão de velhos amigos. Fizemos o ginásio juntos, me disse, à maneira de cumprimento. Foi fácil me lembrar dele: era o melhor jogador de futebol da escola e campeão dos nossos primeiros bordéis. Havia deixado de vê-lo em algum momento incerto, e deve ter me achado tão decrépito que me confundiu com algum condiscípulo da sua infância.

Em cima do tampo de vidro que cobria a escrivaninha tinha aberto um dos enormes livros de apontamentos do arquivo onde estava o registro das joias de minha mãe. Uma relação exata, com datas e detalhes de que ela em pessoa tinha mandado mudar as pedras de duas gerações de belas e dignas Cargamantos, e havia vendido as legítimas naquela mesma loja. Isso tinha acontecido quando o pai do atual proprietário estava à frente da joalheria, e ele e eu na escola. Mas ele mesmo me tranquilizou: aquelas pequenas artimanhas eram de uso corrente entre as grandes famílias em desgraça, para resolver urgências de dinheiro sem sacrificar a honra. Diante da realidade crua, preferi conservá-las como lembrança de outra Florina de Dios que jamais conheci.

No começo de julho senti a distância real da morte. Meu coração perdeu o compasso e comecei a ver e a sentir por todos os lados os presságios inequívocos do final. O mais nítido foi num concerto no Belas-Artes. O ar-condicionado havia falhado e a flor e a nata das artes e das letras se cozinhavam em banho-maria no salão abarrotado, mas a magia da música era um clima celestial. No final, com o *Allegretto poco mosso*, estremeceu-me a revelação deslumbrante de que estava escutando o último concerto com que o destino me deparava antes de morrer. Não senti dor nem medo, mas a emoção arrasadora de ter conseguido viver até ali.

Quando enfim consegui abrir caminho empapado de suor através dos abraços e das fotos, me encontrei cara a cara com Ximena Ortiz, como uma deusa de cem anos numa cadeira de rodas. Sua simples presença se impunha em mim como um pecado mortal. Vestia uma túnica de seda cor de marfim, tão lustrosa como sua pele, um fio de pérolas legítimas de três voltas, o cabelo cor de madrepérola cortado à moda dos anos vinte com uma ponta de asa de gaivota na face, e os grandes olhos amarelos iluminados pela sombra natural das olheiras. Tudo nela contradizia o rumor de que sua mente estava ficando em branco pela erosão imperdoável da memória. Petrificado e sem recursos diante dela, me sobrepus ao vapor de fogo que me subiu pela cara e saudei-a em silêncio com uma vênia versalhesca. Ela sorriu feito uma rainha e me agarrou a mão. Então percebi que aquilo tudo também era uma jogada do destino, e não a perdi, para arrancar um espinho que me estorvava desde sempre. Sonhei durante anos com esse momento, disse a ela. Ela pareceu não entender. Não me diga!, disse. E você quem é? Não soube jamais se na verdade ela havia esquecido ou se foi a vingança final de sua vida.

A certeza de ser mortal, em todo caso, me havia surpreendido pouco antes dos cinquenta anos numa ocasião como aquela, numa noite de carnaval em que dançava um tango apache com uma mulher fenomenal de quem nunca vi a cara, mais corpulenta que eu por uns vinte quilos e mais alta uns dois palmos, que no entanto se deixava levar como uma pluma ao vento. Dançávamos tão apertados que sentia circular seu sangue pelas veias, e me sentia como adormecido de gosto com seu ofegar trabalhoso, quando me sacudiu pela primeira vez e quase me derrubou por terra o frêmito da morte. Foi como um oráculo brutal ao ouvido: Faça o que você fizer, neste ano ou em cem, você estará morto para sempre e jamais. Ela se afastou assustada: O que você tem? Nada, respondi, tratando de sujeitar meu coração:

— Estou tremendo por sua causa.

Desde então comecei a medir a vida não pelos anos, mas pelas décadas. A dos cinquenta havia sido decisiva porque tomei consciência de que quase todo mundo era mais moço que eu. A dos sessenta foi a mais intensa pela suspeita de que já não me sobrava tempo para me enganar. A dos setenta foi temível por uma certa possibilidade de que fosse a última. Ainda assim, quando despertei vivo na primeira manhã de meus noventa anos na cama feliz de Delgadina, me atravessou a ideia complacente de que a vida não fosse algo que transcorre como o rio revolto de Heráclito, mas uma ocasião única de dar a volta na grelha e continuar assando-se do outro lado por noventa anos a mais.

Tornei-me de lágrima fácil. Qualquer sentimento que tivesse algo a ver com a ternura me causava um nó na garganta que nem sempre conseguia dominar, e pensei em renunciar ao prazer solitário de velar o sono de Delgadina, nem tanto pela incerteza da minha morte como pela dor de imaginá-la sem mim pelo resto da sua vida. Num daqueles dias incertos fui parar por distração na mui nobre rua dos Notários, e me surpreendeu não encontrar nada além dos escombros do velho hotel para encontros fugazes onde fui iniciado à força nas artes do amor pouco antes dos meus doze anos. Havia sido uma mansão de antigos armadores, esplêndida como poucas na cidade, com colunas cobertas de alabastro e frisos de ouropéis, ao redor de um pátio interno com uma cúpula de vidros de sete cores que irradiava um resplendor de invernadouro. No andar térreo, com um portal gótico sobre a rua, estiveram por mais de um século os cartórios e tabeliães coloniais onde trabalhou, prosperou e se arruinou meu pai em uma vida inteira de sonhos fantásticos. As famílias históricas abandonaram pouco a pouco os andares superiores, que acabaram sendo ocupados por uma legião de damas noturnas em desgraça que subiam e desciam até o amanhecer com os clientes apanhados por um peso e meio nos botequins do vizinho porto fluvial.

Aos meus doze anos, ainda com minhas calças curtas e minhas botinhas da escola primária, não consegui resistir à tentação de conhecer os andares superiores enquanto meu pai se debatia numa de suas reuniões intermináveis, e deparei com um espetáculo celestial. As mulheres que vendiam barato seus corpos até o amanhecer se moviam pela casa desde as onze da manhã, quando a canícula do vitral já era insuportável, e tinham que fazer sua vida doméstica andando peladas pela casa inteira enquanto comentavam aos gritos suas aventuras da noite. Fiquei aterrorizado. A única coisa que me ocorreu foi escapar por onde havia chegado, quando uma das peladas de carnes maciças cheirando a sabão silvestre me abraçou pelas costas e me levou no ar até seu cubículo de papelão sem que eu conseguisse vê-la no meio da gritaria e dos aplausos das inquilinas nuas. Ela me jogou de barriga para cima em sua cama para quatro, tirou as minhas calças com uma manobra magistral e se encavalou em cima de mim, mas o terror gelado que me empapava o corpo me impediu de recebê-la como um homem. Naquela noite, desvelado na cama da minha casa pela vergonha do ataque, não consegui dormir mais do que uma hora, com vontade de tornar a vê-la. Na manhã seguinte, enquanto os tresnoitados dormiam, subi tremendo até o seu cubículo, e a despertei chorando aos gritos, com um amor enlouquecido que durou até que foi levado sem misericórdia pelo vendaval da vida real. Ela se chamava Castorina e era a rainha da casa.

Os cubículos do hotel custavam um peso para os amores de passagem, mas muito poucos de nós sabíamos que custavam a mesma coisa para vinte e quatro horas. Além do mais, Castorina me apresentou ao seu mundo de maldição e pecado, no qual convidavam os clientes pobres para seus cafés da manhã de gala, emprestavam sabonete para eles, cuidavam de suas dores de dente e, em casos de urgência maior, lhes davam um amor por misericórdia.

Mas nas tardes da minha última velhice ninguém mais se lembrava da imortal Castorina, morta sabe-se lá quando, que havia subido das esquinas miseráveis do cais fluvial até o trono sagrado de cafetina-mor, com uma venda de pirata no olho perdido numa briga de botequim. Seu último macho fixo, um negro feliz de Camaguey que era chamado de Jonas, o Galeote, havia sido um trompetista dos grandes em Havana até perder o sorriso completo numa catástrofe de trens.

Ao sair daquela visita amarga senti no coração uma fisgada que não consegui aliviar durante três dias com todo tipo de poções caseiras. O médico a quem procurei de emergência, membro de uma estirpe de insignes, era neto do que me examinou aos meus quarenta e dois anos, e me assustei ao ver como eram parecidos, pois estava tão envelhecido como seu avô aos setenta, por uma calvície prematura, uns óculos de míope irreversível e uma tristeza inconsolável. Fez em mim um exame minucioso de corpo inteiro com uma concentração de ourives. Auscultou meu peito e minhas costas, examinou minha pressão arterial, os reflexos do joelho, o fundo do olho, a cor da pálpebra inferior. Nas pausas, enquanto eu mudava de posição na cama de exame, ele me fazia perguntas tão vagas e rápidas que mal me davam tempo de pensar nas respostas. Após uma hora me olhou com um sorriso feliz. Bem, disse ele, acho que não tenho nada a fazer pelo senhor. O que isso quer dizer? Ora, que seu estado é o melhor possível na sua idade. Que interessante, respondi, seu avô me disse a mesma coisa quando eu tinha quarenta e dois anos, como se o tempo não passasse. O senhor sempre encontrará alguém que dirá a mesma coisa, disse, porque sempre terá uma idade. Eu, provocando-o para uma sentença assustadora, disse a ele: A única definitiva é a morte. Sim, disse ele, mas não é fácil chegar a ela num estado tão bom como o do senhor. Sinto muito não poder agradá-lo.

Eram lembranças nobres, mas na véspera do dia 29 de agosto senti o peso imenso do século que me esperava impassível quando subi com passos de ferro as escadas da minha casa. Então tornei a ver uma vez mais Florina de Dios, minha mãe, na minha cama que havia sido sua até sua morte, e me deu a mesma bênção da última vez que a vi, duas horas antes de morrer. Transtornado pela comoção entendi aquilo como o anúncio final e telefonei para Rosa Cabarcas para que chamasse minha menina aquela mesma noite, em previsão de que não se cumprisse minha ilusão de sobreviver até o último respiro de meus noventa anos. Tornei a telefonar às oito, e uma vez mais repetiu que não era possível. Tem de ser, a qualquer preço, gritei aterrorizado. Desligou sem se despedir, mas quinze minutos depois tornou a ligar:

— Muito bem, aqui está ela.

Cheguei às dez e vinte da noite e dei a Rosa Cabarcas as últimas cartas da minha vida, com minhas disposições sobre a menina depois de meu final terrível. Ela pensou que eu tinha ficado impressionado com o esfaqueado e me disse com ar de deboche: Se você vai morrer, que não seja aqui, nem pense nisso.

Mas eu disse a ela: Diga que fui atropelado pelo trem de Puerto Colombia, aquele pobre ferro-velho que dá pena e é incapaz de matar alguém.

Preparado naquela noite para tudo, me deitei de barriga para cima à espera da dor final no primeiro instante de meus noventa e um anos. Ouvi sinos distantes, senti a fragrância da alma de Delgadina dormindo de lado, ouvi um grito no horizonte, soluços de alguém que talvez tivesse morrido um século antes naquela mesma alcova. Então apaguei a luz com o último suspiro, entrelacei meus dedos com os dela para levá-la pela mão e contei as doze badaladas da meia-noite com minhas doze lágrimas finais, até que os galos começaram a cantar, e em seguida o repicar dos sinos de glória, os foguetes de festa que celebravam o júbilo de haver sobrevivido são e salvo aos meus noventa anos.

Minhas primeiras palavras foram para Rosa Cabarcas: Compro a casa inteira, com o armazém e o pomar. Ela me disse: Façamos uma aposta de velhos: quem sobreviver fica com tudo que é do outro, assinado no tabelião. Não, porque se eu morrer, tudo vai para ela. Dá na mesma, disse Rosa Cabarcas, eu tomo conta da menina e depois deixo tudo para ela, o seu e o meu;

não tenho mais ninguém neste mundo. Enquanto isso, vamos reformar o seu quarto com bons serviços, ar-condicionado, e seus livros e sua música.

— Você acha que ela vai concordar?

— Ai, meu sábio triste, está bem que você esteja velho, mas não idiota — disse Rosa Cabarcas morrendo de rir. — Essa pobre criatura está zonza de amor por você.

Saí radiante para a rua e pela primeira vez me reconheci no horizonte remoto do meu primeiro século. Minha casa, calada e em ordem às seis e quinze, começava a gozar das cores de uma aurora feliz. Damiana cantava a toda na cozinha, o gato redivivo enroscou o rabo em meus tornozelos e continuou caminhando comigo até a minha mesa de escrever. Estava organizando meus papéis murchos, o tinteiro, a pena de ganso, quando o sol explodiu entre as amendoeiras do parque e o barco fluvial dos correios, atrasado uma semana por causa da seca, entrou bramando no canal do porto. Era enfim a vida real, com meu coração a salvo, e condenado a morrer de bom amor na agonia feliz de qualquer dia depois dos meus cem anos.

*Maio de 2004*

Este livro foi composto na tipologia Minion Pro
Regular, em corpo 12,5/19, e impresso em
papel off-white 90g/m² no Sistema Cameron da
Divisão Gráfica da Distribuidora Record.